プーチンと習近平
独裁者のサイバー戦争

山田敏弘

文春新書

1359

はじめに

「特別な軍事作戦を実施することにした。ウクライナ政府によって八年間、虐げられてきた人々を保護するためだ」

二〇二二年二月二四日、ロシアのウラジーミル・プーチン大統領によるテレビ演説のあと、ロシア軍がウクライナ領内に侵攻した。一九万ともいわれるロシア軍によってウクライナを早々に屈服させるとみられていたが、想像を超えるウクライナの徹底抗戦により、プーチンのもくろみは崩れ去った。筆者は「これは形を変えた第三次世界大戦の号砲ではないか」と感じていた。

様々なメディアで、日々戦場となったウクライナの様子が報じられている。それはいわば、「リアルな戦場」であり、兵器や兵士が投入されて、さらに民間人にまで被害が及ぶ血を流す戦闘が行われている。

しかし、この戦争は、それだけではない。西側諸国によるロシアへの経済制裁やウクライナへの支援、メディアが伝える報道（フェイクニュースも含む）や論評、ウクライナのゼレンスキー大統領をはじめとする各国のリーダーの発信するメッセージなども、戦争の行方に重要な影響を与えている「もうひとつの戦場」なのだ。

なかでも重要性を増しているのは、サイバー空間である。近年、インターネット技術の進歩により、戦争の在り方は大きく変わった。「ハイブリッド戦争」などと呼称されているように、ＩＴ技術、ＡＩ技術を複合的に組み合わせて、軍事作戦を遂行することは、珍しいことではなくなっている。

筆者はかねて、こうした「サイバー戦争」に注目し取材を重ねてきた。これまでサイバー戦争は、リアルな戦争に比して「添え物」のような扱いを受けてきた。しかし、本書でも紹介するが、ウクライナの戦争では、サイバー戦争、情報戦争の真価がこれまで以上に注目を集めている。

こうした米露を中心としたサイバー戦争を、静かに注視している国がある。それが、アメリカを超えて世界最大のサイバー大国になろうともくろむ中国だ。

*

本書の流れを述べておこう。第一章では、ウクライナの戦争の情報戦争としての側面について考える。スパイ出身のプーチン大統領が作り上げたロシアが、いかにして世界有数のサイバー大国となったのかを紹介する。この戦争では、単なるロシアのサイバー攻撃だけでなく、アメリカとその同盟国の情報（インテリジェンス）戦にもみるべき点が多い。

第二章では、世界の覇権を狙う中国の、サイバー技術と人間の両方を使い「情報の不正取得」に特化したスパイ活動の実態を描く。

第三章では、中国が力を注ぐ「５Ｇ」「ＡＩ」「デジタル通貨」といったサイバー空間の分野で、現在、何が起こっているのかを考える。たとえば、ウクライナの戦争では、経済制裁の一環として、ロシアのＳＷＩＦＴ（スウィフト）からの排除に注目が集まった。そのようなアメリカ主導の金融秩序を中国がくつがえそうと試みていることを明らかにする。

第四章は、アメリカのドナルド・トランプ大統領の時代の米中、米露関係を描く。ロシアのサイバー攻撃という〝最強〟の援護射撃を受けて大統領になったトランプは常にアメリカのインテリジェンスを混乱させてきた大統領であると同時に、アメリカの対中政策を大きく転換させた大統領でもあった。トランプによって、それまでの対中融和路線から中国をはっきりと「敵」と位置付ける強硬路線に転じたのである。そこには、中国によるサイバー戦、情報戦がアメリカに大きなダメージを与えているという認識の転換があった。

第五章では、トランプから政権を引き継いだジョー・バイデン大統領の作る対中包囲網について記す。それは、「アメリカファースト」から「同盟強化」への転換である。中国は、ヨーロッパにスパイ網を張りめぐらせ、世論工作などを行ってきた。それまで、一帯一路などの投資によって、中国への批判に及び腰だったヨーロッパ諸国が、香港の民主化運動やウイグル族弾圧を目の当たりにして、「反中」に舵をきりつつある。

その対中同盟関係を再構築する最中に起こったのが、ウクライナの戦争だった。第六章は、日本の現状を書いた。最後に日本のインテリジェンスに何が必要なのか、これからの日本はどう進めばよいのかを筆者なりの視点から提言した。

日本でサイバー戦争やスパイは、漠然としたイメージはあっても、日々起こっている出来事と結びつけて受けとめられないことが多い。しかし、行政や企業の情報流出もサイバー戦争の一環なのである。

本書では、サイバー戦争の担い手であるハッカーやスパイが、我々の身近なところに潜み、暗躍している姿を克明に描いた。日本人の危機意識を改めるきっかけになれば幸いだ。

プーチンと習近平　独裁者のサイバー戦争　◎　目次

第一章　プーチンの戦争とサイバー戦

現代の情報戦

筆者はかねて、米中露のサイバー戦争やスパイ戦争に関心を持ち取材を重ねてきた。

スパイといえば、映画「００７」シリーズの主人公ジェームズ・ボンド（英ＭＩ６（情報局秘密情報部）のスパイという設定）のように、熟練したプロフェッショナルの工作員が盗聴や暗殺などを行うイメージがあるだろう。それは、現代のスパイにとって半分は正解で、半分は誤りだ。なぜなら人間による諜報活動（ヒューミント）に加え、サイバー兵器を使った盗みや破壊工作（シギント）、プロパガンダが諜報活動の中で大きな比重を占めるようになっているからだ。もちろん、ジェームズ・ボンドのように派手なアクションを誇示するスパイは存在しないが（目立ちすぎて、任務が遂行できるとは思えない）、各国のスパイ機関に属する専門家による工作も激しく行われている。

しかし一方で、職業スパイとスパイ活動をする一般人の境も曖昧《あいまい》になってきている。知らず知らずのうちに、一般人がスパイ活動に「参加」させられている場合もあるからだ。サイバー技術を駆使した情報収集と、一般人を参加させる「国民総スパイ化」的なスパイ戦術を国ぐるみで行ってきたのがロシアと中国である。冷戦時代からスパイ戦の蓄積を持ち、プーチン大統領子飼いの強力なサイバー部隊を有して、民間のハッカーを国が援助し各国に損害を与えてきたロシア。企業や国民すべてをスパイにしようと法律すら作り出す中国――この二国は、アメリカや日本のような民主主義国家が一定程度設けている「ルール」をものともしないスパイ大国といえる。

本書では、ロシアと中国という国家の、電子空間上のサイバースパイと人間のスパイの双方に光を当てながら、「現代の情報戦争」について考えてみたい。筆者は、すでにサイバー空間を舞台に、アメリカ、欧州VS.中国・ロシアという構図の「サイバー世界大戦」が始まっていると考えてきた。

そして、二〇二二年二月に、ロシアによるウクライナ侵攻が行われ、図らずもこの構図が、世界中の人々の前に立ち現れたのである。

そこで、まずは「プーチンの戦争」（この呼称自体が、欧米のプロパガンダの一環でもある）と呼ばれるこの戦争を、サイバーやインテリジェンス、プロパガンダの観点で読み解くところから、本書をはじめてみたい。

ロシアの情報を「フェイクニュース」にする

二〇二二年のロシアのウクライナ侵攻は、長く「情報戦争」の教科書として語り継がれるのではないだろうか。サイバー攻撃、スパイの暗躍、ネットを使ったプロパガンダといった現代戦争のあらゆる側面が盛り込まれているからだ。

そこで情報戦争のあり方がよくわかる出来事をピックアップして、時系列で紹介することからはじめたい。まずは、ウクライナへの武力攻撃が始まった二月二四日前後に、各国のメディアやネット上で報じられた事象をみてみよう。

二月一五日　ウクライナ軍と同国の国防省に対してサイバー攻撃が行われる。

二月二三日　ウクライナ外務省など主要な政府機関に対してサイバー攻撃が行われる。

二月二四日　プーチン大統領のテレビ演説（事実上の宣戦布告）。ロシアによるウクライナへの軍事侵攻がはじまる。ロシアがウクライナの七四の軍事施設（レーダー基地、飛行場など）を無効化し、制空権を奪ったと発表する。

二月二五日　ウクライナのゼレンスキー大統領が、ビデオメッセージで「ロシアは民間人を攻撃している」と発言。また、自分を狙う工作員がキーウ（キエフ）に潜入しているとも話す。

同日　米ＣＮＮが「ロシア軍部隊が、キーウから三二キロの地点に迫っている」ことを報じる。以後、連日、世界のメディアがロシア軍の車列を衛星画像で紹介し続ける。

同日　ロシア政府、国内のフェイスブックへのアクセスを制限する。

同日　欧米各国がプーチン大統領、ラブロフ露外相らの資産凍結を発表する。

同日　ゼレンスキーが、キーウ中心部で自撮りした動画をＳＮＳに投稿。「我々はみんなここにいる」と、自身がキーウを離れたという情報を否定する。

同日　ロイター通信などがアメリカ国防省高官の話として、「ウクライナ軍が想定以上の抵抗をしている」と報じる。以降、「ロシア軍の苦戦」についてメディアが相次いで報じる。

二月二六日　ゼレンスキー、この日も「偽情報を信じるな」というメッセージをＳＮＳ

に投稿する。

同日　ロシア政府、国内のツイッターへのアクセスを制限する。

同日　アメリカ国防総省が、「ウクライナの防空システムは動いている」と発表。

同日　ＮＡＴＯ（北大西洋条約機構）軍高官の「ロシア軍は燃料不足で、士気が低い」との談話が報じられる。英国防省が「ロシア軍の侵攻は計画通りに進んでいない」との分析を公表する。

同日　「スペースＸ」のイーロン・マスクが、自社の衛星インターネット回線をウクライナに提供することを発表する。

二月二七日　ウクライナ国防省が、「ロシア軍の死者は兵士四〇〇〇人以上。航空機二七機、ヘリコプター二六機、戦車一四六両などに被害を与えた」と発表。

同日　ロシア国防省が、ロシア兵に死者が出ていることを認める。

開戦直前の二月一五日と二三日に行われたサイバー攻撃は、ロシア軍によるものだ。後述するが、実際の武力行使の前に敵国の情報系統を攻撃するのは、現代ロシア軍の得意とする戦術であり、この戦争でもウクライナ全土にわたって集中的に行われていたことがわかる。具体的には、ＤＤｏＳ（データを大量に送り付けサーバーをダウンさせる）型と呼ばれる攻撃方法が多く用いられる。ウクライナでも、このサイバー攻撃で国防省などのＨＰが閲覧できないようになった。

また、ロシア軍によってＧＰＳのジャミング（電波による妨害）も行われた形跡がある。これによって、ウクライナ軍は位置情報を正確に把握できなくなり、動きを取りづらくなったはずだ。加えて、侵略後すぐにウクライナ側の衛星通信が、ロシアによるサイバー攻撃によってしばらく混乱に陥ったと、ウクライナの特別通信情報保護局のビクター・ゾーラ副局長が認めている。

ゼレンスキー大統領暗殺作戦

次に焦点となったのは、ゼレンスキー大統領の暗殺作戦だ。

英紙「タイムズ」は三月三日までに、三回のゼレンスキー大統領暗殺未遂事件があったと報じている。開戦直前、ウクライナには、ロシアの特殊部隊員が潜入し、大統領の命を狙っていたという。さらに、開戦初日、ゼレンスキーの暗殺か拘束を狙うヘリコプターに乗ったロシアの特殊部隊が、キーウに降り立とうとした。キーウの空港を掌握しようとしたロシアの特殊部隊「スペツナズ」も突入を試みたが、いずれも待ち構えていたウクライナ軍の対空砲で全滅している。

　筆者が注目したのは、ウクライナ側が三月一日に発表した、ゼレンスキー暗殺作戦の詳細だ。これはウクライナの国家安全保障・国防会議のオレクシー・ダニロフ議長が、テレグラム（ロシアが開発したＳＮＳ）に投稿したものだ。そこで彼は、「（プーチン大統領の依頼で）チェチェン共和国のカディロフ大統領が、暗殺の特別作戦を行っていたことを我々も把握している。というのも、今回の血なまぐさい戦争に参加したくないロシアのＦＳＢ（連邦保安庁）内部から情報を得ているからだ」と発言した。この話が事実なら、ロシアの情報関係者には大きな衝撃だったはずだ。プーチン大統領の足元の情報機関にスパイがいることになるからである。

　しかし、情報戦の「常識」としては、このダニロフ発言をそのまま受け取ってよいか疑問が残る。このような現在進行形の戦争の最中に「本当の」情報提供者を明かすことは、まずない。せっかくの情報源が摘発されてしまうからだ。ダニロフは別のルートから手に入れた情報を「ＦＳＢからの情報」と偽ることによって、ロシア政府を揺さぶろうとしている可能性も大いに考えられる。

三月一一日にＦＳＢが、同第五局（対外担当）の責任者であるセルゲイ・ベセダ局長たちを拘束したとの情報が報じられた。その理由として、プーチン大統領にウクライナへの攻撃に関して甘い見通しを報告したため更迭《こうてつ》されたという推測が流れているが、ＦＳＢ内にかなりの精度の情報を扱える西側のスパイがいて、それが粛清されたという可能性も捨てきれない。つまり、このダニロフ発言自体が、すでに複雑な情報戦の一部だと考えられる。

最初の攻撃を乗り切ったゼレンスキー大統領は、二月二五日以降「自分はキーウから出ていない」とアピールを繰り返している。キーウにある名所の前に閣僚たちと立っている映像も公開した。また、記者会見も行うようになる。これはロシアがウクライナ国内に向けて「大統領が逃亡した」というフェイクニュースを流したためだ。これまで、ウクライナでは地位を追われた大統領の亡命が相次いでいた。そのため、このような噂を流しウクライナの戦意を削《そ》ごうとしたのだろう。

ゼレンスキーは、「軍に武器を捨てるよう命令したとの情報がネットで流れているが、フェイクニュースだ」（二月二六日）とも語っているが、同国内でロシアによる情報工作が激しく行われていることがわかる。実際、ゼレンスキーの映っている動画をＡＩ（人工知能）などで加工し、あたかも本人が降伏を宣言しているかのように見せる「ディープフェイク」技術を使った偽動画が、拡散されていた。

このゼレンスキー亡命問題について、欧米側は、「首都脱出を進言したが、ゼレンスキー大統領はそれを拒否した」「特殊部隊を派遣したが、大統領はキーウを離れることを断った」という情報をくり返し報じるようになる。これは「国民とともに戦う大統領」という印象を強くしようとした意図があると考えられる。

これにより、開戦前はさほど人気のある大統領ではなかったゼレンスキーが「英雄」となり、反ロシアでウクライナ国民が一致団結するようになった。さらに、欧米でもゼレンスキー大統領を支持する声が高まり、「ロシア＝悪」「ウクライナ＝善」の構図は決定的となった。

これがプーチンにとって大誤算だったことは、米国防総省なども指摘している。

ジョージアでの戦争

刻一刻と変わるウクライナの戦局をさまざまなメディアで追いかけながら、筆者は二〇〇八年八月八日に起きたロシアによるジョージア（当時の日本での呼称は、グルジア）侵攻を思い出していた。

この戦いでロシア軍は、大規模なサイバー戦を実践した。これが現代ロシア軍の戦争の「教科書」になったといえる。

旧ソ連の構成国で、連邦の崩壊とともに独立したジョージアは、当時、国内で紛争を抱えていた。ジョージア政府と、反政府で自立志向のある南オセチア（イラン系住民が数多く暮らす）とが対立していたのだ。ロシアは、南オセチアを支援し、「住民保護」を名目に軍を派遣した（ロシアはジョージアが仕掛けた戦争であるとするが、ジョージアはロシアによるものと主張している）。当時の大統領はメドベージェフであったが、実際に国を運営していたのは、前大統領で首相のプーチン（二〇一二年に再び大統領になる）だった。

このとき開戦の数週間前から、ロシアは、ジョージア政府へのサイバー攻撃を開始した。まず、反ジョージアを標榜《ひょうぼう》するウェブサイト「ストップジョージア」を立ち上げた。イギリスに拠点を置きながらプロパガンダを発信するだけでなく、サイバー攻撃を推奨するホームページで、ジョージア政府にブロックされずにサイバー攻撃を行う方法や、攻撃目標とすべき政府機関などのリストを公開するなど実践的な内容だった。個人でもサイバー攻撃が行えるように詳細なプログラムが公開され、国民を動員してジョージア政府を攻撃しようとしたのだ。このサイトは、当初、正体不明だったが、のちにＩＰアドレス（インターネット上の住所）から、ロシアの情報機関とつながりのある組織が運営していたことが明らかになっている。

八月に入ると、ロシア情報機関の影響下にあるハッカー集団や、このサイトに触発された一般市民が多数参加したＤＤｏＳ攻撃が頻発する。特に開戦直前の八月七日に集中的な攻撃に遭ったジョージア政府は、ウェブ機能が完全にストップした。ジョージア側は、自分の身に何が起こっているのか把握できないところに、ロシア軍が押し寄せたというわけだ。ロシアの作戦は大成功に終わった。

サイバー攻撃で相手を混乱させ、電撃作戦で中枢を制圧する――ロシア軍にとって、この作戦は伝家の宝刀となった。二〇一三年にロシア軍の参謀総長ワレリー・ゲラシモフが、サイバー戦などを含んだ新しいロシアの戦争の形を論文で発表した（通称「ゲラシモフ・ドクトリン」）。そこには、これからの戦争は平時、有事の境目が曖昧なままの状態で進む、と記され、サイバー戦はまさにその中核として重要視されている。今回の戦争もそのドクトリンに沿ったものといえるだろう。

ロシアのスパイ組織

ここでロシアのサイバー戦を支える組織を紹介しよう。それは三つに分かれている。まずは、旧ソ連のスパイ組織ＫＧＢ（国家保安委員会）の流れを汲《く》むものだ。ソ連崩壊後、ＫＧＢは分裂し、主に国内の諜報を担当するＦＳＢと、国外の諜報を担当するＳＶＲ（対外情報庁）が設立された。

さらにロシア軍にも独自の諜報部門がある。それがＧＲＵ（連邦軍参謀本部情報総局）で、この部隊もスパイ活動を行っている。

このＦＳＢ、ＳＶＲ、ＧＲＵは、互いがライバルという意識が強く、それぞれが独自に活動する傾向が強い。アメリカや中国のようにそれらを統合して、共同作戦を行う体制になっていないのも特徴的だ。

次に組織の規模だが、これは謎のベールに包まれている。日本の防衛省は、ロシアのサイバー戦力は、一〇〇〇名ほどという推計を発表したことがあるが、それはあくまでもロシア軍のサイバー部門（ＧＲＵ）のみの人数である。ＳＶＲやＦＳＢの正確な人員は不明で、さらに正規の職員以外にも、さまざまな形で工作に従事する人間がおり、数万人規模になるとみられる。

ロシアは、ソ連崩壊後ほどなく、サイバー戦に力を注ぎこむようになった。ロシアのサイバー戦の歴史に詳しい諜報関係者によると、そのきっかけは、アメリカによるサイバー侵略の脅威だったという。一九九〇年代半ばのロシア下院の委員会で、「最近政府機関で導入した、アメリカ製の電気通信機器には秘密のスイッチがついており、作動した瞬間にロシア全体のシステムがダウンする」という陰謀論が取り上げられた。

　このスイッチの件が事実だったかどうかは検証しようがないが、これが、ロシアがサイバー戦に注力するようになった一因となったというのだ。一九九〇年代後半には、ＦＳＢ内でコンピューター・ネットワークと情報セキュリティーの専門家を集め、サイバー戦に特化した部隊を作りあげた。瞬く間にロシアのサイバー部隊の能力は、世界最高レベルになっていく。

　一九九八年三月、ロシアのサイバー部隊はアメリカに対する攻撃「ムーンライト・メイズ」（アメリカによる呼称）を行った。アメリカ国防総省、ＮＡＳＡ（航空宇宙局）などを一年にわたってハッキングし、暗号技術や戦争プランを盗んだとされる。

　ハッキング後、被害を受けたＮＡＳＡの総括監察官を務めるロベルタ・グロスが上院で「犯人はモスクワから二〇マイル（約三二キロ）以内の場所からこの作戦を行った」と述べるにとどまった。つまり、何の対策もできなかったのだ。

また、後に詳しく述べるが、ロシアは二〇一六年のアメリカ大統領選挙において、大規模なサイバー攻撃を仕掛けて大成功を収めている。

アメリカへの攻撃に成功したロシアは、サイバー軍を重要な部隊として磨き上げていく。

ウクライナへサイバー攻撃

当初は情報の「盗み」をメインに行っていたロシアのサイバー戦術は、やがて攻撃に特化していくことになった。前述のジョージアとの戦争につづき、二〇一四年二月、クリミア半島への侵攻の際にはさらに進化したサイバー作戦を行ったのだ。

ロシア軍は、まずウクライナ軍の無線などの通信システムを麻痺させて、同軍を混乱させ、そこに一気に陸上部隊を送り込んだ。さらに指揮系統を叩くためにクリミア自治共和国の高官らの通信インフラをサイバー攻撃で破壊した。同時にヒューミントも駆使している。クリミア半島では、親ロシア派の住民が侵入したロシアの陸上部隊に呼応し、自治政府を解散させるなど、ロシアにとって都合の良い動きをみせたが、ここでは、ロシアの情報機関が暗躍したとされている。翌三月には住民投票が行われ、圧倒的多数の賛成でクリミア半島はロシアに併合された。

クリミア半島を併合したあとも、ロシアはウクライナにサイバー攻撃を繰り返している。

二〇一五年一二月二三日、ウクライナ西部の電力会社に対し、ハッキングが行われた。電力会社の職員が制御システムを見ていると、画面の中のカーソルが操作をしていないのに勝手に動き出し、ブレーカーを落とし始めたのだ。職員たちがあわててパソコンを操作しても止めることはできず、最後は為す術《すべ》もなく画面を見ていることになった。このハッキングによって、真冬のウクライナで電力供給が遮断され、約五〇万人に影響があった。

さらに翌年の一二月には、首都キーウが狙われ、需要電力の五分の一が一時的に失われた。このとき使われたのは、ロシアで開発された「クラッシュオーバーライド」と呼ばれるハッキングツールで、発電や送電システムを不正に操作できるものだった。このツールはコンピューターの中からシステムそのものを消してしまう機能もあったことが、のちに判明している。

このようにロシアは、世界中が驚嘆するサイバーツールを次々と生み出し、実戦に投入していった。その実験場として使われていたのが、ウクライナだったのだ。

ちなみに今回のウクライナ侵攻後もロシアは、インフラへのサイバー攻撃を続けている。

二〇二二年三月一三日、英ＢＢＣのインタビューに応じたウクライナの電力会社の関係者は、主に送電システムへのサイバー攻撃が続いていると発言している。世界一のサイバー先進国と自他ともに認めるアメリカも手を焼くほどの攻撃力を示しているのだ。

　このような〝実績〟によりロシアのサイバー能力は、世界の情報関係者から「世界最強レベル」と高く評価されてきたのである。

ランサムウェアとロシア

　もうひとつ、ロシアのサイバーツールの威力を示す例を紹介しよう。

相手のウェブサイトをダウンさせる、情報を盗む、アカウントを乗っ取る、などサイバー攻撃の方法はいくつもあるが、ロシア型サイバー攻撃の武器として近年猛威を振るっているのが、ランサムウェアだ。日本では身代金要求型ウイルスと呼ばれている。

　簡単に手口を紹介すると、まずウイルスが含まれたメールをばらまき、相手がメールの添付ファイルをクリックするなどして引っかかるのを待つ。ウイルスの入ったファイルを開くとＰＣが一気に感染する仕組みだ。一度ウイルスに感染させると、遠隔操作でパソコンをロックしたり、中にある書類を暗号化したりして使えないようにできてしまう。その段階で、相手に「原状回復したければ金をだせ」と身代金を要求をするのだ。

ランサムウェアの攻撃の場合は、身代金支払いは現金ではなく暗号資産（仮想通貨）などが利用されている。二〇一八年ごろから世界中で猛威を振るいはじめ、現在も勢いは衰えていない。攻撃全体の八割近くがロシア発で、残りはウクライナを含む東欧諸国とされる。このサイバー攻撃による被害は、アメリカや日本では多発しているが、ロシアではまったく確認されていない。

では、そのすべてがロシアのスパイ組織によって行われているのかといえば、そうではない。ＣＩＡ（米中央情報局）の元ＣＩＳＯ（情報セキュリティ最高責任者）のロバート・ビッグマンは、筆者の取材にこう答えている。

「ロシアのサイバー攻撃は、マフィアがハッカー組織をつくって攻撃を行っていることが多い。彼らの目的は金だ。どんな形でもいいから儲けようとしている。そして、ロシアの情報機関とは、非公式に関係を持っている」

ロシアのマフィアはロシア政府の「敵」を攻撃することで、政府とも良好な関係を維持しているのだ。

二〇二一年五月、アメリカの石油パイプライン「コロニアル・パイプライン」がランサムウェアの攻撃にあった。このパイプラインは、東海岸のエネルギーの四五%を担う重要インフラだが、ウイルスのために五日間の操業停止となった。大きな被害になることを恐れた運営会社は、犯人に四四〇万ドルの身代金をビットコインで支払った（のちにアメリカ当局が大半を回収したと発表）。

この攻撃を行ったのは、ロシアを根城に活動するハッカー集団ダークサイドだと判明している。アメリカの国務省はこの事件を重く見て、ダークサイドの有力な情報に一〇〇〇万ドルの懸賞金を出すと発表した。さらに、ロシア政府の関与の証拠は提示しないものの、ハッカーを取り締まるように厳しく要求している。

ちなみに二〇二二年のウクライナ侵攻の直後、日本の部品メーカー小島プレス工業のシステムがランサムウェアに感染した。そのため、主要な取引先であるトヨタの生産ラインがストップするという事件があった。直前にロシアへの経済制裁を行ったため、日本への報復措置ではないかとの憶測もあったが、これは専門家の間では、たまたま世界中で実施されているランサムウェア攻撃に感染したためだとみられている。一方、三月一三日に大手部品メーカーのデンソーが、ランサムウェアに攻撃されたことを発表したが、こちらはロシアに対する制裁に同調した日本への「報復」を指摘する声もある。ロシアのサイバー攻撃は、経済制裁が深刻になった後、「報復攻撃」として行われる危険性が高く、今後ますます警戒が必要になるだろう。

ＫＧＢスパイとしてのプーチン

そしてロシアをこのようなサイバー攻撃大国に育てたのは、スパイ出身の大統領、ウラジーミル・プーチンその人だ。

「一度、スパイの道に足を踏み入れたものは、絶対に一般人に戻ることはない。プーチン大統領も同じだ。彼の考え方はスパイそのものだ」

これは筆者が懇意にするＣＩＡ元高官の言葉である。彼はＣＩＡのモスクワ支局で幹部を務めたこともある随一のロシア通だ。

ウラジーミル・ウラジーミロヴィチ・プーチンは、一九五二年にサンクトペテルブルクに生まれた。父はソ連海軍に徴兵され内務人民委員部（ＮＫＶＤ）という秘密警察に所属していたことがある。プーチンは地元のサンクトペテルブルク大学では法律を学び、大学卒業後は、同級生のセルゲイ・イワノフ（のちにプーチン政権で国防相となる）と共にＫＧＢに入った。ＫＧＢでは、養成機関「レッド・バナー・インスティチュート（現ＳＶＲ

アカデミー）」でスパイのイロハを叩き込まれた。

　まず配属されたのは、政府に批判的な政治家や活動家らを監視するＫＧＢ第五局だった。最初の海外赴任地はソ連の同盟国東ドイツのドレスデンで、一九八四年から九〇年まで勤務した。ドイツ共産党や東ドイツの情報機関（シュタージ）と協力して、同国を訪れる外国人旅行者や留学生をエージェントとしてスカウトすることや、西ドイツ在住の協力者を作ることが主な任務だった。プーチンは、一九八九年のベルリンの壁の崩壊を東ドイツで迎えた。ドレスデンにあるＫＧＢの拠点が反ソ連のデモ隊に囲まれたため、自ら拳銃を振り上げて追い払ったという「武勇伝」もある。

　米誌「アトランティック」によると、プーチンは当時を振り返り「ソ連の枠組みから外れた考え方を持っても（ソ連）国民とは違って自由だった。他の人が口に出せないことを発言しても許されていた」と語っている。

　一九九一年にソ連が崩壊するとＫＧＢも解体された。プーチンは引き続きスパイとして生きることを決め、国内諜報を専門とするＦＳＢに入る。一九九八年にＦＳＢ長官となり、エリツィン大統領の後継者として二〇〇〇年に大統領に就任している。

　このような経歴からもわかるように、プーチン大統領の最大の支持基盤はＦＳＢや他の情報機関だ。二〇〇五年のSVR創設記念の式典で、プーチンが「政策決定過程で情報活動が重要である」「情報機関の努力はロシアにおける潜在的な産業力及び国防力の強化に集中されなければならない」と演説しているように、スパイ行為は彼の支配の根幹に位置している。ある西側スパイによると、プーチン大統領の一日は、SVRとFSBから上がってくるリポートに目を通すことではじまるという。

豪胆に見える一方で、プーチンは極端に暗殺を恐れている。同じ西側スパイによると、ロシア国内でプーチンが移動するたびに、その周辺でGPSが異常をきたし、ネットの地図システムが正常に動かなくなるという。セキュリティー関係者がGPSを無効化する機器を持ち歩いているからだとされる。

プーチンの側近たち

前出のCIA元高官は、プーチンの側近についてこう話した。

「ロシアを理解する上で、プーチンの周りで誰が権力を手にしているのかは重要だ。基本的に自分と同じようなタイプの人間を置いている。プーチンに忠誠を誓い、同じ世界観を持っている人たちだ」

ここでプーチンの側近とされる人物を挙げておこう。

まずは、後継候補といわれたこともあるセルゲイ・ショイグ国防相。プーチン大統領の考えをそのまま表明することが多い。もともとは建築技師であり、エリツィン大統領時代の与党党首などを務め、二〇一二年に国防大臣となった。ＢＢＣによると、プーチンは休暇の際、ショイグを連れて釣りや狩猟にでかけることもあるという。ウクライナ侵攻当初は、プーチンと会議をしている様子が、ロシアの国営放送を通じて報じられた。ところが、その後、一時、表舞台から姿を消して失脚説も流れた。

参謀総長のワレリー・ゲラシモフは、先にも触れた「ゲラシモフ・ドクトリン」の執筆者。今回のウクライナ攻撃でも作戦全体を立案したとされる。

ニコライ・パトルシェフ安全保障会議書記は、ＫＧＢ時代からのプーチンの盟友だ。プーチンの後、一九九九年から二〇〇八年までＦＳＢ長官を務めた。西側世界を敵視する傾向が強く、ウクライナ侵攻でも主戦論を展開したとされる。そのパトルシェフからＦＳＢを引き継いだアレクサンドル・ボルトニコフ長官も最側近の一人である。

プーチンは、側近に元スパイを多く登用しているが、中でも注目すべき人物がＳＶＲ長官のセルゲイ・ナルィシュキンだ。今回のウクライナとの開戦前は、西側へのスポークスマンとして、ロシアメディアだけでなく、イギリスのＢＢＣなどにも登場した。対外工作を行うＳＶＲの長官が西側メディアに登場することなど、これまで例のないことだった。

ナルィシュキンは、一九五六年生まれ、ＫＧＢではプーチンの後輩にあたる。工作員を経てプーチンに引き上げられるようにして出世した。ロシア連邦の副首相や国家院（下院）議長などの要職を歴任し、彼も一時、プーチン大統領の後継者ではないかと囁《ささや》かれたことがある。

ＢＢＣによる二〇二〇年六月のナルィシュキンへのインタビューは、ＳＶＲの活動を考える上で興味深い。彼は、「ジェームズ・ボンドは私たちにとってヒーローでもなんでもない」と軽くジャブを打ってから話をはじめた。

ロシアによるフェイクニュース工作について問われ、話をそらせつつも「西側諸国や西ヨーロッパの若者たちは、アメリカだけがナチスドイツに勝利し、ヨーロッパを解放したと思っている。そんな無知は偶然では生まれない。わざと計画的にそう信じるように促されているのだ」と答えている。ここで語られているのは、第二次世界大戦におけるソ連の貢献が軽視されているというプーチンとその取り巻きの歴史観だ。ロシアは第二次世界大戦の勝者だから、世界に強い影響力を行使する正当な権利があると主張しているのである。

ナルィシュキンは、二〇二一年五月にＢＢＣに再度登場する。この時の大きなテーマは、ロシアのサイバー攻撃だった。アメリカの政府機関や企業で使われている「ソーラーウインズ」社製のネットワーク管理システムが、前年一二月に攻撃に遭っている。情報機関関係者の間では、ロシアの犯行であることは間違いないとみられていた。ＢＢＣの記者に「あなたの機関がやったのか？」と聞かれたナルィシュキンは、「ＳＶＲの仕事ぶりについてそんなに評価をしてもらい、恐縮だ」としながら「そんな証拠は表に出ている情報を見る限り、一切ない。あなたは証拠をもっているのか？」と笑いながら語った。

さらに、「我々も誰が犯人か調べた」として、この攻撃がアメリカとイギリスの情報機関の手口であるとの自説を展開した。すべてを欧米の責任に転嫁していく姿は、ウクライナ戦争でも「すべての元凶はＮＡＴＯやアメリカだ」とするプーチンの議論の仕方と似ている。

情報機関トップを罵倒

これまでナルィシュキンは知る人ぞ知る存在だったが、ウクライナ侵攻にあたってにわかに世界中の注目を集めることになった。侵攻の三日前に行われた、政権の幹部が集結した安全保障会議の様子が全世界に放映されたためだ。この会議ではウクライナ東部の親ロシア派地域の独立を認めるかどうかが議論された。その際にプーチンは、ナルィシュキンをつるし上げたのだ。少し長いが紹介したい。

ナルィシュキン「西側諸国のパートナーに最後のチャンスを与えることができるという提案に賛成します。ウクライナ政府に平和を選択させ、ミンスク合意を履行させるために、最短時間で彼らに選択肢を提示することです。最悪の場合、今日議論している決定を下さなければなりません」
プーチン「最悪の場合とはどういう意味だ？　交渉を始めようと提案しているのか？」
ナルィシュキン「いいえ。私は……」
プーチン「それとも（ウクライナの）主権を認めることか？」
ナルィシュキン「あの……私は……」
プーチン「言え、言うんだ。はっきり言え！」
ナルィシュキン「私は承認に関する提案を支持しようと……」
プーチン「支持しようとするのか、それとも、支持するのか？　はっきり言え、セルゲイ！」

ナルィシュキン「私は提案を支持……」

プーチン「イエスかノーだ」

ナルィシュキン「はい。ドネツク人民共和国とルガンスク人民共和国のロシア連邦への編入を支持します」

プーチン「そんな話はしていない。そんなことを話し合っているんじゃない。独立を認めるか認めないかの話をしているんだ。イエスかノーか？」

ナルィシュキン「はい。両国の独立承認の提案を支持します」

プーチン「よろしい。座っていい」

この映像には、世界中の情報機関の関係者が少なからず衝撃を受けた。ＳＶＲ長官が公開の場で、しどろもどろになるまで追いつめられるなど、想像したこともなかったのだ。

さらに、映像が公開された後、プーチン大統領個人の精神状態を危ぶむ声が各国で上がった。筆者には精神状態に対する評価はできないが、支持基盤である情報機関のトップをテレビカメラの前で罵《ののし》ったことは、プーチン大統領のロシアの情報機関へのいら立ちの表れとることができる。

同時に頭をよぎったのは、この映像は、強力さを誇ったロシアの情報戦のほころびを象徴しているのではないかということだ。ここまで紹介してきたように、二〇〇八年のジョージア、二〇一四年のウクライナで成果を挙げてきた「勝利の方程式」だが、今回は明らかにそれが上手く働いていない。プーチンは短期決戦を考えていたはずだが、なぜ歯車が狂ったのだろうか。

私は各国の情報関係者に、そうした疑問をぶつけた。彼らの答えは、アメリカの「本気」をプーチンが読み誤ったのではないかというものだった。

「ワシントン・ポスト」へのリーク

ここまでロシアの動きをみてきたが、開戦に至るまでのアメリカの動きも気になる点が多い。

ウクライナ侵攻の六日前、二〇二二年二月一八日の会見でバイデン大統領は、「今後数日のうちにロシアがウクライナを攻撃する」と語った。記者から根拠を問われ「われわれにはかなりのインテリジェンス能力がある」と情報機関の分析であることを強調していた。

情報機関を前面に押し出したバイデン大統領の言葉は、今回のウクライナでの戦争を図らずも象徴している。アメリカは、情報機関が得た情報を巧みに利用し、自国に有利な状況を作り上げていったのだ。

少し時間をさかのぼって、その過程をみてみよう。

二〇二一年春、アメリカは一〇万人のロシア軍が、ウクライナとロシアの国境線沿いに集結していると発表した。発表の後、NATO諸国などもロシアを批判したところ、ロシア側が一部を撤退させたとされ、大きな問題には発展しなかった。

ところが、このときロシアは軍隊を撤収させず、むしろ、人員を増強していたのだ。同年一一月に入ると、アメリカのアントニー・ブリンケン国務長官が、「ロシア軍の動きは深刻な結果をもたらす」と繰り返しロシアを非難するようになった。

そして、アメリカは大きな局面の転換を行った。情報のリークである。

二〇二一年一二月三日、米紙「ワシントン・ポスト」が、アメリカの情報機関が作成したとされる文書を衛星写真付きで紹介したのだ。この記事を執筆した記者は、シェーン・ハリスという人物。彼はアメリカの情報機関と太いパイプを持っており、この文書も「機密解除」と書かれていることから、CIAなどの機関から提供されたと推測できる。

記事では、二〇二二年の早い時期に、ロシア軍がウクライナに侵攻することは間違いがないと断定。さらにロシア軍は四カ所に集結しており、五〇の部隊が配備されたほか、新たに戦車なども運び込まれたとしている。さらに米当局者の話として、「約一七万五〇〇〇人の兵士から成る一〇〇の大隊」による作戦であると、かなり細かい指摘を掲載しているのである。今振り返ると、この情報は大筋で「正しかった」ことになる。同紙の記事は世界中に転載され、ロシアによる「開戦前夜」であることが世界に知られるようになり、各国の動きが活発化する。

「ワシントン・ポスト」の記事の公開とほぼ時を同じくして、ブリンケン国務長官は、NATOの会合に出席し「プーチン大統領が決断すれば、即座にそうすることができる能力を整えていることは知っている」と発言していた。この発言もメディアで大きく取り上げられた。ウクライナの危機は、それまで外交に詳しい一部の人々が注目するニュースだったのが、一気に国際的なニュースになったのである。すでに、「侵略者プーチン」というイメージ作り戦略は始まっていたといえる。

ロシアの「偽旗作戦」を暴露

戦争で重要なのは「大義名分」である。どの国の政治家も、「相手の土地が欲しいから戦争をはじめた」「生意気だから懲《こ》らしめるために攻撃した」などと主張することはない。ウクライナ侵攻にあたって、プーチンは「ウクライナ側から始めた攻撃である」ことを大義名分にして、戦端を開こうとしていた。

そこで使おうとしたのが、「偽旗作戦」だ。「偽旗作戦」とは、戦争を仕掛ける側が、「敵の攻撃を受けたので、自分たちは防衛のために反撃をした」という嘘をでっち上げ、自分たちには大義名分があると主張するために用いる工作だ。

ロシアは二〇〇八年のジョージア侵攻、二〇一四年のクリミア侵攻においても、同様の作戦を行っている。いわばお家芸だ。クリミア侵攻時には、ロシアは自分たちが用意したウクライナ人女性をロシアのメディアに登場させ、「子どもが虐待されるのを目撃した」と訴えさせた。もちろんクリミア半島に住む人々のウクライナ政府への感情を悪化させ、ロシアへの併合をスムーズに進めるための地ならしが目的だった。

しかし、今回アメリカは、そのロシアの大義名分づくりすら暴いていった。米国防総省のジョン・カービー報道官は二〇二二年一月一四日に、このような発言をしている。

「ロシアの工作員グループがウクライナに入っている。ウクライナ侵攻の口実を作るために、自分たち、またはロシア語を話す人々が攻撃を受けたかのように見せる作戦計画のためだ。その証拠を我々は摑んでいる」

あわせて、ジェイク・サリバン米大統領補佐官（国家安全保障担当）も、ロシアの工作員がウクライナ国内に入り、「もっともらしい口実」をでっち上げようとしていると批判していた。

さらに、二月に入ると、アメリカの国防総省や国務省は相次いで、ロシアがウクライナ侵攻の正当化のためのプロパガンダ動画を制作しているとも発表した。

その動画では、住居の爆破シーンや泣き叫ぶ人々の様子、さらにＮＡＴＯ諸国が提供した武器も映し出される予定だったとされる。ＣＩＡは、ロシア人またはウクライナ在住のロシア系住民を「泣き叫ぶ市民」役として確保していたということまで明かした。

こうしたアメリカの牽制により、ロシアは住民からの要望という「大義名分」をつくることを諦めた。そして、「われわれの目的はウクライナ政府の非ナチ化であり、そのためにウクライナを非武装化する」という主張をせざるを得なくなっていった。

ちなみにその後、ロシアは「偽旗作戦」をベラルーシに対して行っている。ウクライナ侵攻後、ロシアと共に侵攻する予定だったベラルーシは、いつまで経っても参戦しなかった（軍部が反対したという報道もある）。業《ごう》を煮やしたプーチンは、ベラルーシの基地からロシア軍機を飛ばし、一旦ウクライナに入ってから反転し、ベラルーシの街を攻撃させたのだ。ベラルーシに参戦の口実を与えるためである。しかし、この作戦もすでに、前日には欧米メディアで報じられていた。その後も断続的にロシア軍はベラルーシ領を、ウクライナ軍を装って攻撃しているが、三月三一日現在、ベラルーシは参戦していない。

三月一一日には、ロシアの提案で国連の安全保障理事会の緊急会合が開かれた。ロシアは「ウクライナはアメリカの支援で化学兵器を作っている」とする文書を公開し、「偽旗作戦」をまだ行おうとしている。しかし、「国連としてはそのような事実を把握していない」と一顧だにされなかった。

ロシアをさらに追い込むバイデン

一月二七日から二月二四日の開戦までのひと月、バイデンとその側近たちは、情報機関からもたらされた情報を矢継ぎ早に公開してゆく。

一月二七日　エミリー・ホーン米国家安全保障会議（ＮＳＣ）報道官「バイデン大統領が、ゼレンスキー大統領にロシアが二月にウクライナに侵攻するという情報があると伝えた」

二月一一日　米サリバン大統領補佐官「ロシアによる軍事侵攻は、北京オリンピックの期間中を含め、いつ始まってもおかしくない」

同日　ロシア外務省「ホワイトハウスのヒステリーは、いまだかつてないほどに顕著になっている」

同日　ゼレンスキー大統領「パニックを起こす情報は我々の助けにならない」

二月一三日　ブリンケン国務長官「脅威は差し迫っている」

二月一五日　ロシア国防省、ウクライナ国境からの撤退を発表し動画を公開。

同日　バイデン大統領、ロシアの撤退情報について、「確認できていない」

二月一七日　ブリンケン国務長官「我々の情報では、（ロシアが）数日中に攻撃を開始する準備をしていることは明らかだ」

二月一八日　バイデン大統領「ロシアが数日中にも侵攻に踏み切る」「キーウを攻撃すると確信している」

二月二三日　米国防総省「ロシア軍は最大限の準備ができており、部隊のおよそ八〇％がいつでも出動できる準備を終えた」

ごく一部のコメントを抜き出したが、アメリカが情報機関を使って入手したとする情報をもとに、ロシア軍の情勢を逐一、カメラの前で語り続けていることがわかる。これは、インテリジェンスの世界からすれば、かなり特異なことだ。普通であれば、情報の出どころを守る必要があるため、手に入れたそばから公開することはない。

さらに「情報機関によると」という枕詞は危険でもある。真実かどうかがあやふやになるからだ。実際に国務省の会見では、あまりに「情報機関によると」とするコメントが多いため、ＡＰ通信の記者が「その情報機関の報告に証拠はあるのか」と質問をしたほどだ（答えは、はぐらかされている）。

いずれにしても、アメリカが出してくる情報に世界中の注目が集まり、強面《こわもて》で知られるプーチン大統領は引くに引けなくなっていったようにもみえる。

結局、二〇二二年二月二四日、ロシアはウクライナに侵攻した。

プーチンの「精神分析」

一度、戦争をはじめると官民を動員して、徹底的に相手を潰そうとするのがアメリカである。アメリカによるプロパガンダは開戦後、加速度的に増大していく。

その一つが、プーチン大統領の「精神状態」をめぐる報道だ。これは、米ＣＮＮなどが「アメリカの情報機関がプーチン大統領の精神状態の分析に力を入れている」と報じたことで、世界中に広まった。

ＣＮＮの取材では、ＣＩＡのデービッド・ペトレイアス元長官が、プーチンは孤立していて、彼の言いなりになる側近らとのやり取りで出来上がってしまった「バブル（幻想）」の中にいるのではないか、と分析している。

イギリスのＭＩ６のジョン・サワーズ元長官もオックスフォード大学関連の弁論団体の講演で、「ここ数年で別人になってしまい、今回はまともな判断ができていない」との分析を示した。

米共和党のマルコ・ルビオ議員は、開戦直後の二五日に「プーチン氏に異変が起きていることは明らかだ」とツイッターに記している。ルビオは、上院の情報特別委員会のメンバーで、情報機関のレクチャーを受ける立場にある議員だ。

さらに三月八日には、米下院の公聴会でCIAのウィリアム・バーンズ長官が、「プーチンの側近らは異論を唱えられる状況にない」「独断的な傾向が強まっている」との見方を披露した。実際、二月二〇日に前述のナルィシュキン罵倒も起こっているので、信憑性は高い。また、開戦直後には、テーブルの端に座ったショイグ国防相とゲラシモフ参謀総長の二人が、遠くに座ったプーチン大統領の演説を聞かされるシーンが公開されていた。

かつて、プーチンは、多い時には一日三〇人以上の人と会議を行っていたと言われている。ところが、新型コロナの感染拡大以降は、ごく限られた側近たちのみと会うようになったとされる。その結果、判断力が鈍ったのかもしれないが、それを「病気」とまで言ってしまうのには躊躇《ちゅうちょ》を覚える。

しかし、欧米メディアからは、次々と「プーチンはパーキンソン病の可能性がある」「がんで闘病している」などといった真偽不明の記事が流された。国家の要人の健康状態は最高機密情報であり、真実はうかがい知るすべもないにもかかわらずだ。

筆者は、欧米が流す一連のプーチンの「精神分析」には、ある種のストーリーを作る意図があるように思える。それは、「プーチンとその側近が、この異常な戦争を起こしたのであって、ロシア国民は悪くない」というものだ。

プロパガンダ戦争

この戦争の特徴の一つは、プロパガンダの分野でもアメリカが中心となって「西側世界対ロシア一国」という構図を早くから作ろうとしていたことにある。その結果、チーム・アメリカのプロパガンダに対し、ロシア側は防戦一方になっているのだ。

ロシアのプロパガンダの敗北は、早い段階から決定的だった。「偽旗作戦」と同じくロシアは開戦後、プロパガンダを大量に流した。前述のゼレンスキー大統領に関するフェイクニュースだけでなく、「ウクライナの住民に物資を届けた」「軍事施設以外は攻撃していない」などの情報を広げようとした。しかし、実際には住宅や病院などが無差別に攻撃されていたし、多くの市民が亡くなっていた。世界中の多くのメディアはロシアの「嘘」をまともに取り上げなかった。

その理由は、すでにウクライナの人々が、いま目の前で起こっていることをSNSで公開していたからだ。政府関係者だけでなく、一般市民も、撃墜されたロシア軍機や大破した戦車、乗り捨てられた軍用車両などの画像や動画を次々とネットで公開していった。ロシア軍の爆撃で、負傷した女性や子供の映像が、世界中に拡散されていった。

ロシア国内では、ツイッターやフェイスブック、インスタグラムを遮断し、テレビでロシアに都合の良い話だけを流して情報を統制できたものの、西側諸国には関係ない。世界に広く情報を拡散させるには、何十億人というユーザーがいるツイッターやフェイスブックなどのSNSプラットフォームを使う必要があるが、これらはいずれもアメリカの企業が運営している。後述するが、ロシアは二〇一六年のアメリカ大統領選挙の際に、これらのSNSでフェイクニュースを拡散するためのアカウントを大量に運用した。その活動が発覚し、ロシアが関連するアカウントはかなりの制限をかけられている。ロシアは、プロパガンダ戦においても早々に敗北していたのである。

開戦後、ロシア国防省は「作戦は成功している」と声明を出し続けていた。しかし、戦況全体を知るための情報は出されなかった。誰もが知りたいと思ったそのタイミングで、英米の軍による「ロシア軍が縦列になってキーウに向かっている」「ロシア軍には多くの死者が出ている」などの発表が行われたのである。それまでもウクライナ側がロシア軍に被害を与えたという情報はあったものの、信憑性が担保されていなかった。しかし欧米の公的機関が「信憑性のある情報」を出したのだ。各国のメディアが飛びついたのはいうまでもない。CNNやBBCのニュース番組では、軍の元高官が番組に出演し、戦局を解説するが、すべてこのような英米軍発の情報がベースになっている。映像自体はフェイクではないし、分析も的確ではあるが、ロシア軍の「苦戦」が強調されているように感じられた。

それとあわせるかのように、ウクライナ側による情報が大量に流された。ウクライナの市民から「なぜここに来たんだ」とロシア兵捕虜が問い詰められる映像が、フェイスブック、TikTokなどを使って猛烈な勢いで世界中に広がっていった。現時点で真偽は定かではない動画もあるが、「ロシア軍は大したことがないのでは」という世論形成には寄与したと思われる。

一方でウクライナ側の情報統制は徹底している。ネット上にあふれる戦争関連の動画や写真はロシア軍が攻撃されるものか、ウクライナの市民が被害を受けるものばかりで、ウクライナ軍が攻撃されるものは、ほとんど見つからないのだ。負けている姿を見せないこともプロパガンダの手法の一つである。

また、ウクライナ政府は積極的にロシア軍の死者数や捕虜の個人情報について発信した。そのため、はじめはだんまりを決め込んでいたロシア政府も、二月二八日を過ぎると犠牲者が出ていることを発表せざるをえなくなった。

このようにロシア側が流した情報を次々と欧米が否定し、ウクライナの出す情報にはある程度お墨付きを与える。ウクライナ側を擁護する圧倒的な情報の中に、ロシア側の主張を埋もれさせるのが、この戦争の大きな特徴といえるだろう。

その後、ウクライナ政府は、三月一四日にロシア兵捕虜による記者会見を行った。「戦争をするとは聞いていなかった」「ウクライナにファシストはいなかった」などと語る姿は、典型的なプロパガンダ映像だったが、すでに「ロシア兵は無理やり戦争に連れてこられた」というイメージがついていたため、警戒されることなく受け入れられたようだ。

世界は、既にロシアのプロパガンダの入る余地はなくなっていたのである。

ウクライナのＩＴ軍

各地でのウクライナ軍の善戦もあって、ウクライナのサイバー軍や情報機関にも注目が集まっている。

ウクライナは侵攻後すぐに「ＩＴ軍」をＳＮＳで立ち上げ、共闘する民間のエンジニアなどを募った。そこには三〇万人以上が参加して、ロシアの政府機関や民間企業へのＤＤｏＳ攻撃などを繰り広げている。皮肉なことに、ロシアがこれまで侵攻などに合わせて行なってきた攻撃をウクライナに行われていることになる。

三月一日には、ウクライナ政権内のスパイが摘発された。ベラルーシで開かれた、ロシアとの停戦協議に参加していたウクライナの元銀行家デニス・キレフが、ロシアのスパイだったことが発覚。ウクライナ保安庁（ＳＢＵ）が拘束しようとしたところ、逃走をはかったために射殺されたのだという。

ウクライナ保安庁は、旧ソ連のＫＧＢの流れを汲む防諜組織で、本件では有効に機能したようだ。三月三一日、ゼレンスキーは、保安庁の高官をスパイであるとして解任したことを明かした。ウクライナとロシアの激しい情報戦の一端が見てとれる出来事だ。

しかしながら、今回の戦争に関しては、ウクライナ一国では到底カバーしきれない情報収集が行われている。アメリカやイギリスなどの情報機関が、手に入れた情報を惜しみなくウクライナに提供していることは間違いない。

そこには、二〇〇八年のジョージア侵攻と二〇一四年のクリミア併合の際に、現地のＣＩＡがあまり機能しなかったことの反省がある、とジェームズ・クラッパー前米国家情報長官が語っている（三月一六日に行われた米ジョージ・メイソン大学主催のオンライン会議での発言）。

先に述べたように、二月二五日以降、アメリカ国防総省やイギリス国防省が相次いで、ロシア軍の苦戦を伝え始めたが、メディアに発表する前に、ウクライナ軍に情報を提供していたことは明らかで、それはウクライナ側も認めている。

ロシアがウクライナに侵攻した四日後の二月二八日に、筆者が旧知の防衛省関係者と会った際に、彼はこんな疑問を口にしていた。

「この戦争は、本当に変な戦争です。ある程度、ロシア軍が空からの爆撃を控えている。その理由が全くわからない。航空戦力を温存しているのか、それとも使えないのか……」

近年の諸外国の軍事作戦を見れば一目瞭然だが、まずミサイル攻撃に始まり、航空戦力による敵への空爆などで、相手の戦力を徹底的に叩いてから陸上部隊を派遣する。これが常識であった。しかし、ウクライナ侵攻では、緒戦の段階で投入されたロシア軍の航空戦力があまりにも少なかったのである。それが、明らかに「変」だと彼はいうのである。

筆者は「やはりサイバー攻撃ですかね」と問うてみた。つまりアメリカによるサイバー攻撃でロシア軍の作戦能力が打撃を受けている可能性があるのでは、と考えたのである。彼は「戦況が分からないので、早計に判断はできませんが」としつつ「現時点では可能性は否定できません」と答えた。

実際のところ、この時点で、アメリカ軍やイギリス軍の関係者の間では、「ロシア軍が撃墜を恐れて温存している」「そもそもロシア軍は、訓練が足りず、本当の戦争には使えないレベルだ」などと様々な憶測が流れていた。その一方で、ロシア軍へのサイバー攻撃に関する情報は皆無で、そのこと自体が意図的に思えるほどだ。三月に入って、航空機による攻撃は増えたようだが、それでも戦争前に想定されていた規模のものではないようだ。

三月一七日にロシアのデジタル省は、大統領府、アエロフロート航空など主要な機関、企業のウェブサイトが「前例のないサイバー攻撃を受けている」と発表した。ウクライナのみならずアメリカなど西側が、ロシアをサイバー攻撃していることは間違いないだろう。

強化されていたウクライナ軍

欧米がウクライナに提供した、衛星などによる位置情報は、ロシア軍の侵攻を食い止めるのに大きな影響があった。縦列で進む戦車や軍用車両の位置が分かっているからこそ、対戦車砲（ジャベリン）を携帯したウクライナ軍が的確な攻撃を行える。

また、ロシア軍の将官が次々と戦死している状況にも注目が集まっている。三月三一日までに将校クラスで七人が戦死しているが、無線の探知などで待ち伏せ攻撃をしているのではないかといわれている。

さらに、NATO軍がAWACS（早期警戒管制機）をポーランド上空に飛ばし、ロシア軍の情報を集めていることも重要だ。これによってロシア軍は制空権を奪えなかった。これらNATO軍による偵察支援は、CNNやBBCが密着取材を行うなどオープンにされている。

英米だけでなく、イスラエル、エストニア、ポーランド、オランダなど対ロシアのスパイ活動に力を注いできた国々の諜報網も無視できない。これらの国々は、手に入れた情報をアメリカに提供していると思われる。アメリカもまた、一国でカバーできる以上の情報を、入手していると考えられるからだ。

CNNでも報じられたが、二〇一七年ごろまで、プーチン政権の内部にアメリカへの情報提供者がいた。しかし、ロシアの情報機関が察知したため、その人物を慌てて出国させている。これだけだと、「アメリカのスパイはクレムリン中枢にいなくなった」と解釈できる。しかし、実際にはイギリスなどが、プーチンの周囲に別のスパイを送り込んでおり、情報収集はある程度機能しているようだ。当然、そこから入手した情報をアメリカも共有している。つまり、情報の面でも「同盟」が機能しているのだ。

ロシアは一国で、西側の情報機関、メディアのすべてを相手に戦っていることになる。このような、世界的な団結が起こるとは、プーチン大統領は予想できなかったに違いない。

最後に現在のウクライナ軍が、二〇一四年のクリミア半島併合当時とは全く違う軍隊になっていたことにも触れておこう。

クリミア半島併合の後、ウクライナは欧米から膨大な軍事支援を得てきた。特にアメリカは、紆《う》余曲折《よきよくせつ》あるにせよオバマ、トランプ、バイデンと歴代政権が軍事援助を続けてきた。トランプ政権は二〇一九年に二億五〇〇〇万ドル（約二八〇億円）、バイデン政権では、戦争がはじまってからの金額を含めて、一二億ドルのウクライナへの安全保障支援を行っている（「日経新聞」三月一四日付）。

支援は武器だけではない。軍事顧問団を派遣して兵士たちの訓練まで行っていたのだ。トランプ政権で大統領補佐官（国家安全保障担当）を務めたジョン・ボルトンによれば、二〇一九年に面会したウクライナ軍の参謀総長（当時）のルスラン・ホムチャークから、英語を使った訓練などの改革を通じてロシアの影響下から脱したい、と聞かされたという（『ジョン・ボルトン回顧録　トランプ大統領との453日』朝日新聞出版）。

それがどこまで実施されたのかは不明だが、メディアに登場したウクライナで軍事指導をした元米軍人の証言によると、二万人を超えるウクライナ兵が今回の侵攻前にアメリカ式訓練を受けていたという。アメリカ式の教練を受け、西側の武器で武装し、さらにロシア軍の位置情報を提供されているウクライナ軍の変容を、プーチンは理解していなかった可能性がある。それがプーチンのロシアの情報機関への怒りにつながっているとも考えられるだろう。

中国の対応

現在ウクライナで繰り広げられている、このような世界レベルの情報共有やプロパガンダ作戦を注視している国がある。それが中国だ。たとえば台湾で有事になれば、場合によってはアメリカを中心とした強力な包囲網が発動する、その現実を見せつけられているからだ。

マイケル・モレル元CIA副長官は、「もし自分が習近平なら」と前置きをしてこんな話をしている。

「ロシア軍がまったく機能していない現状を見て、『一九七九年から戦争していない中国軍も、同じようになるのではないか』と心配になったはずだ」（前出の三月一六日に行われ

たオンライン会議での発言）

今回、中国政府は、ウクライナの戦争に関して、消極的なロシア支持をしているようだが、アメリカは興味深い分析をしている。

二〇二二年三月一〇日、バーンズＣＩＡ長官は、米上院の公聴会において、ウクライナ侵攻で中国の指導部が動揺していると発言した。その理由として、主に以下の三つを挙げている。

①中国の情報機関がウクライナ侵攻について、きちんとした情報を習近平国家主席に伝えることができなかった。

②ロシア軍は民間人を巻き込んだ残虐な戦闘を行い、中国がその行為を認めていると世界中で思われてしまっている。

③今回のプーチン大統領の動きが、想像もつかなかった西側諸国の団結につながった。

特に③については、これほどまでに結束する西側諸国の動きを、中国は息をのんで見ていると考えていい。

ロシアが中国に軍事支援を求めたと報じられ、多くの人がロシアの次は中国である、と想像したからだ。そうしたイメージがつくられた時点で、いわば「次の情報戦」は、はじまっている。次章では、ロシアを上回るサイバー大国、スパイ国家を目指す中国の戦略を読み解く。

第二章　中国は技術を盗んで大国になった

オーロラ作戦の衝撃

前章では、ウクライナでの戦争を通じて、ロシアのサイバー戦争の実態をみてきた。しかし、サイバー技術により世界に脅威を与えているのはロシアだけではない。近年ではロシア以上の脅威となっているのが中国である。

米中の覇権争いは、われわれの目の前で日常的に繰り広げられている。世界のメディアで両国の小競り合いについての話題を目にしない日はないと言っていい。

しかし、その覇権争いの裏では、米中のサイバースパイたちがしのぎを削っているのだ。

中国が行った大規模なサイバースパイ事件として、情報関係者の間で語り草になっているのが、二〇一〇年一月に発覚した「オーロラ作戦」だ。中国が市場開放政策に転換して以来、蜜月関係を続けた米中だったが、この事件をきっかけに、アメリカが中国の国をあげてのスパイ行為に気が付き、その見方が一変したのである。

この作戦で最大のターゲットとされたのは、グーグルだった。二〇一〇年一月一二日、同社はサイバー攻撃を受けていることを発表した。前年の暮れころから、ハッカーらが、グーグルが提供する電子メールサービスのＧメールに侵入し、中国の反体制派の個人アカウントを調べようとしていたことがわかったのだ。しかし、さらに重要なのは、グーグルの最重要機密であるソースコード（検索サービスの〝設計図〟）が奪われていたことである。

台湾の内政部警政署で捜査員を務めたことのあるハッカーは、中国系ハッカーの特徴についてこう述べる。

「中国の政府系ハッカーの攻撃の多くは、セキュリティ対策ソフトで弾《はじ》かれない、たとえば、調査対象の人物の上司や同僚、取引先に偽装した、フィッシングメールなど電子メールを利用して入り込んでくるのです」

このときのハッカーの手口も同様のものだった。偽メールで、ＰＣをウイルスに感染させることに成功し、そこを足掛かりにグーグルのサーバーに入り込んだのだ。

その最大の成果は、同社幹部のアカウントを乗っ取ったことだった。こうして機密情報へのアクセス権を盗み、そこから、マイクロソフトのウェブブラウザである「インターネット・エクスプローラー」のゼロデイ（世の中に知られていない未知のセキュリティの穴）を使って、グーグルの重要なプライベートサーバーに忍び込むことに成功した。この攻撃の結果、グーグルは、まんまとソースコードを盗まれてしまったのだ。

筆者がＭＩＴ（マサチューセッツ工科大学）に在籍していた当時、すぐそばのオフィスにはＮＳＡ（米国家安全保障局）の元幹部、ジョエル・ブレナーが研究員として陣取っていた。ある時、ブレナーが「ソースコードが、中国に盗まれてしまったことがあった」と教えてくれたが、まさにこのオーロラ作戦のことだったのである。ブレナーは続けて「ハッカーたちは、おそらく人民解放軍にかかわっている者だ」と語ってもいた。

「オーロラ作戦」において、ハッカーはまんまとグーグル幹部のＰＣをウイルスに感染させた後、何カ月もの時間をかけてサーバー内部を調べている。これは持続的標的型攻撃（ＡＰＴ）と呼ばれる手法で、中国のサイバー攻撃の特徴のひとつだ。ただちにウイルスを発動させるのではなく、じっと何カ月も何年も潜ませておくのだ。

では、こうして盗まれたグーグルのソースコードを中国は何に使ったのだろうか。米紙「ニューヨーク・タイムズ」のサイバー安全保障担当のデービッド・サンガー記者は、このソースコードは、「中国の検索エンジンであるバイドゥ（百度）を手助けした」と指摘している。バイドゥは今やグーグルに次ぐ世界第二位の利用者を誇る巨大検索サイトだが、それは中国のスパイ作戦のたまものだったというのだ。

オーロラ作戦が進行していた当時、中国は必死になってアメリカのグーグルを妨害しようとしていた。中国市場に進出しようとしていたグーグルに対して、「天安門事件」など体制に都合の悪い言葉を検索できなくする「検閲」を押し付けるなど、「踏み絵」を踏ませ、ビジネスをしづらくさせたのである。度重なる圧力とサイバー攻撃による情報の不正取得に耐えかねて、グーグルは同年三月に中国からの撤退を表明している。

このオーロラ作戦でサイバー攻撃を受けたのは、グーグルだけではない。金融機関のモルガン・スタンレーや、IT企業のシマンテックやアドビ、軍事企業のノースロップ・グラマンなど三〇社以上がサイバー攻撃にあった。

調査のあと、ヒラリー・クリントン国務長官（当時）は、「中国当局は徹底的に調べるべき」と名指しで批判した。

このサイバー攻撃によって、アメリカの中国観は決定的に変わった。それまでの「ビジネスパートナー」から、守るべきルールを共有できない「敵」ではないか、という疑いが強まっていった。

半導体の奪い合い

中国は「世界の工場」となり世界第二位の経済大国となった。そのこと自体は世界の経済にとって、何ら問題はないだろう。しかし、問題は中国が経済成長、産業技術部門での発展を、外交、安全保障での他国への優位、強圧的な支配的ポジションの確立と、明確に結び付けようとしていることだ。

習近平国家主席は、二〇二一年五月の談話でこんなことを語っている。

「もし科学とテクノロジーが確立できれば、国家が確立できる。そして、科学とテクノロジーが強ければ、国家は強くなるだろう」

その「テクノロジー」には、AIや5Gなどに加えて、二〇二一年から世界的な供給不足が大きな問題となっている「半導体」も含まれている。あらゆる物事をデジタル化しようとするDX（デジタル・トランスフォーメーション）の世界では、半導体がいかに重要なものかは、誰の目にも明らかだ。

そのため、現在は世界各国による半導体の奪い合いとなっている。半導体の確保が国力に直結する時代になっているのだ。

現在中国における半導体自給率は、二〇％にも満たない。それを二〇二五年には七〇％まで上げるとする、かなり野心的な国家目標を掲げている（後述する「中国製造２０２５」）。しかし、トランプ政権時にワシントンで話を聞いた米政府関係者は、「二〇二五年までに、目標は達成できないのではないか」と指摘していた。目標の数字を達成するのは現実的でなくなってきているようだ。

　習近平はもちろんそれをよくわかっている。だからこそ現在の劣勢を挽回するべく、中国は他国から技術を強引にでも入手しようと躍起になっているのだ。「入手」の方法——それはスパイ工作に他ならない。

　アジア地域で責任ある立場にあったある元ＣＩＡスパイはアメリカや日本などの民主主義国家と中国、ロシアの差をこう解説してくれた。

「アメリカではＣＩＡやＮＳＡが情報収集をしても、民間に渡す必要はないし、その義務もない。中国やロシアでは情報機関が集めた情報は国営企業や国内の民間企業に、技術的またビジネス的に有利になるように渡さないといけない。ある意味で、情報機関が企業の道具となってしまっている」

　スパイ活動には、違法な面も多いが、紳士協定のような暗黙のルールがある。それは、

「国家や国民の安全を守るためにのみ活動する」というものだ。中国のように国家によるスパイ活動で「盗んだ技術」を企業に渡し、産業を発展させるのは、資本主義の大前提である「競争」の公平性を失わせてしまう。それが世界各国が中国の「国ぐるみの産業スパイ行為」を重大なルール違反として、神経を尖らせている理由なのだ。

台湾の半導体を狙え

そんな中国の「盗み」の標的になっているのが、世界の九〇%の先進半導体チップを生産している台湾だ。台湾には受託製造で世界でも随一の技術力をもつＴＳＭＣなどの拠点がある。

二〇二一年一一月に公開されたアメリカ議会の諮問機関・米中経済安全保障調査委員会（ＵＳＣＣ）の報告書は「中国との有事などで台湾の半導体分野が一年間、操業できないような事態になると、世界の家電業界の損失は四九〇〇億ドル（約五六兆円）にもなる」と指摘しているから、世界がいかに台湾に依存しているかがわかるだろう。

中国はその台湾に向けて、サイバー攻撃を繰り返している。

「中国は台湾をサイバー攻撃の実験場所と見なしている。中国は新しい攻撃方法を編み出すと、まず台湾で試すのです」

そう嘆息したのは、台湾の行政院（内閣）でサイバーセキュリティを担当する資通安全処の簡宏偉局長だった。筆者が取材した二〇一八年当時、台湾は毎月四〇〇万件のサイバー攻撃を受けていた。さらに「その八割は中国からのもの」（簡局長）だという。

その中には、半導体を狙った大規模なサイバー攻撃もあった。近年で最も大きいハッキング事件は二〇二〇年に発覚した。中国政府とつながりのある「キメラ」という名のハッキング組織が、台湾の半導体企業七社にサイバー攻撃によって侵入していたのである。しかも、一度に情報を根こそぎ奪う形ではなく、二〇一八年頃から約二年にわたって徐々に、半導体の設計図やプログラムのソースコードなどの情報を盗んでいた。その巧みな手法に、台湾側は盗まれていることにまったく気が付いていなかったという。

台湾では警戒を高める政府とは逆に、民間企業では中国の工作に対する危機意識が薄いともいわれる。台湾の英字新聞「台北タイムズ」は、中国製の人気アプリ「WeChat」など（中国製アプリの危険性については、後に詳しく述べる）を例に挙げ、「台湾には十分な法律や規制がなく、アプリのユーザーたちは通信を監視されたり、個人情報が盗まれたりすることに無頓着だ」「中国製アプリの侵攻は、台湾の国家防衛を侵害する」と中国による情報の不正取得の危険性を指摘している。

ハッカーは、サイバーセキュリティーの意識の低いところを確実に見抜き、ウイルスを送り込んでくるのだ。

「盗み」に特化するハッカー

英ＭＩ６の元スパイは、中国のサイバースパイ活動の現状をこう分析する。

「中国のサイバー攻撃を行うスパイは、世界でもトップクラスの優秀さがある。コンピューターの絶対数やツール（サイバー兵器、コンピューターウイルスなど）も揃っている。その質はアメリカにも負けていない。少し前までは、サイバー攻撃のツールは、ロシアがトップクラスだったが、中国が超えつつある。アメリカがスパイの最先端という時代ではなくなるかもしれない」

急速に力をつける中国の政府系ハッカー集団だが、面白いことにその活動は、知的財産や軍事機密を盗むことに特化している。ロシアのような、電力網や金融機関、政府機関など国家の機能を妨害するようなサイバー攻撃は行わないのだ。

中国におけるサイバー工作の歴史は古く、一九八八年に北京の国防大学で、人民解放軍の沈偉光大佐が、サイバー攻撃に関する講義を行っていたことが記録に残っている。

二〇〇〇年には、一五〇〇万ドルの予算で、人民解放軍の中に「ネット・フォース」というサイバー攻撃部隊が創設された。アメリカで中国政府が関与した本格的なサイバー攻撃が確認されたのは、二〇〇三年のことだ。米軍で「タイタン・レイン」というコードネームで知られる攻撃が起き、数年に渡って機密情報が盗まれた。ターゲットは国防総省で、国防情報システム局やミサイル防衛局に入り込み、さらに米陸軍や海軍のシステムなどからも軍事技術を盗み出すことに成功している。

以降、サイバー攻撃は民間企業にまでターゲットを広げる。二〇一〇年には、すでに述べた米民間企業を狙った「オーロラ作戦」も実施した。

さらに、人民解放軍のアメリカ担当のサイバー軍は、米「ニューヨーク・タイムズ」の記者らのパソコンに侵入し、当時の温家宝首相の親族による蓄財に関する取材記事をハッキングしていた。米司法省はこれらを踏まえた上で、二〇一四年にアメリカの原発産業や鉄鋼関連企業へのハッキングを事件化して、同部隊の将校を起訴している。

また、人民解放軍とは別に、スパイ機関のＭＳＳ（中国国家安全部）も、二〇〇三年頃から本格的なサイバー工作に乗り出した。ＭＳＳは中国のインターネットの黎明期に生まれたサイバー攻撃集団と協力しているとされる。

MSSは、中国の国務院（内閣）に属する機関で、日本でいえば内閣情報調査室のような位置づけと考えればわかりやすいだろう。ただMSSは強力な権限を持ち、その活動範囲は広い。アメリカでは、対外情報機関であるCIA、国内を担当するFBI（米連邦捜査局）、さらに主にシギントを扱うNSAなどの組織がそれぞれの分野を担当するが、MSSはそのすべてを担っている。

二〇一八年にトランプ大統領の iPhone が中国によって盗聴されていたと報じられたが、これにはMSSが関与しているとみていい。

MSSは謎に包まれた組織で、公式HPもなく本部の所在地は公開されていないが、北京にあるようだ。ちなみにCIAはバージニア州ラングレー、イギリスのMI6はロンドン、ロシアのSVR（対外情報庁）はモスクワと、意外にもスパイ組織の本部所在地は公開されていることが少なくない。

中国では二〇一五年からサイバー分野で組織の再編がはじまった。人民解放軍は戦略支援部隊（SSF）を新たに創設した。総参謀部にあるサイバー部隊もそこに組み込まれ、サイバースパイ工作からプロパガンダ、情報工作、破壊工作まで、中国のサイバー戦略を包括的に取りまとめることになったという。ＳＳＦの中でも特にサイバー攻撃に特化している組織は、サイバー・コー（サイバー部隊）と呼ばれ、その人的規模はアメリカをも凌駕《りょうが》すると言われている。

中国では、軍のサイバー兵士が七万人ほどで、民間から協力しているハッカーらは一五万人ほどになると言われてきた。しかし、一説には、近年さらに協力者などが増えて数十万から数百万人規模になっているとの見方もある。そうした巨大規模の集団が、情報機関であるＭＳＳなどとも緊密に連携しながらスパイ活動に従事しているのである。

手当たり次第に盗みまくる

米国家防諜安全保障センター（ＮＣＳＣ）元高官のウィリアム・エバニーナは、二〇二一年八月に上院情報特別委員会で「アメリカの成人の八〇％は個人情報のすべてが中国共産党に盗まれている」「残りの二〇％も、一部の個人情報が中国に盗まれている」と語っている。それほどに事態は深刻だ。

中国は二〇一八年にかけては、米ホテルチェーン大手マリオット・インターナショナルから三億八〇〇〇万人以上の個人情報をサイバー攻撃で奪った。また、ＥＵ（欧州連合）

の二八カ国（当時）がやり取りする通信システムＣＯＲＥＵも、中国のハッカーに個人情報などが奪われている。最近では、二〇二一年に世界各地の通信事業者をサイバー攻撃して個人情報などを盗み出していた。

筆者が取材をしてきたＣＩＡ元幹部らの話では、「中国はこうしたデータを集めて、巨大なデータベースを作っている」という。そこから情報収集のためのサイバー攻撃のターゲットを絞り込んだり、セキュリティ意識の低そうな相手を探したりするなど徹底的に利用されている。また、中国への出入国などで個人の素性や人脈を把握できる。

筆者の知人である日本人ジャーナリストは、今から何年か前に、北朝鮮関係の要人に取材をするために訪れた中国で、空港に到着して外に出た途端に「当局者」から声をかけられた経験を話してくれた。突然、「お泊りは××ホテルですよね、お送りしますよ」と言われ、恐怖に慄《おのの》いたという。

海外では実際に、米情報機関関係者の家族が、中国などの情報関係者に接触された事例が報告されている。アメリカの凄腕ハッカー集団を抱えるＮＳＡの元幹部は、「これまで盗み出してきた情報の莫大なデータベースで、重要人物の所在や家族構成なども紐づけており、スパイ活動に活用している可能性が高い」と語る。

日本で中国のハッカーによる犯行とされているのは、二〇二〇年一月に発覚した三菱電機に対するサイバー攻撃だ。従業員の個人情報が四五六六人分、新卒採用応募者と経験者採用応募者の一九八七人分、さらに関連会社の退職者の情報が一五六九人分も盗まれた可能性を同社は認めている。さらにその後、高速ミサイルの性能情報など安全保障に関するデータも盗まれた可能性があることがわかった。同社の調査報告によれば、中国にある子会社がまずサイバー攻撃を受け、従業員のアカウント情報を奪われた。ハッカーはそれを使って日本のサーバーなどにアクセスしていたのだという。

盗まれた従業員や退職者の情報は、どのように使われるのだろうか。公安調査庁の関係者は、「こうした情報をもとに、スパイ工作や、人材確保のためのリクルート活動が行われている可能性が高い。中国の半導体などの関連企業に情報が流れているとも考えられる」と話す。

誰がどのような才能を持っているのか、どのような職歴で、どのような家族構成なのかなどの個人情報は、スパイにとって欲しい情報の一つだ。仮に重要分野の現役社員の引き抜きが難しい場合でも、退職者ならば比較的簡単にアクセスできるし、リクルート活動しやすい。退職者名簿は宝の山だろう。中国の人材引き抜きについては、後に詳しく紹介する。

アメリカのスパイ組織

ここまで中国によるサイバー攻撃を紹介してきたが、一方のアメリカはどうなのだろうか。

いうまでもなく世界最大かつ最強のスパイ大国はアメリカだ。アメリカには一八の情報機関がある。そのうち国外に出て人を使った諜報活動を行うのはＣＩＡで、国内で入国してくる外国のスパイなどを逮捕権を持って取り締まるのはＦＢＩだ。また軍や国務省の組織なども含まれており、そうした組織が政府と、国民の生命と財産を守るために命懸けで諜報活動を行なっている。

その中でサイバー戦に特化し、もっとも機密性が高く凄腕と言われるのがＮＳＡである。もともとＮＳＡは、第二次世界大戦中に盗聴などを行ってきたスパイ組織で、技術の発展に合わせインターネットを駆使したスパイ活動を行うようになった。ハッキングや盗聴などで世界を監視し、さらにはハッキングツールなどを独自に開発して米情報機関のサイバー攻撃を技術的に支えてもいる。

二〇一三年、ＮＳＡ、ＣＩＡの元職員でコンピューターセキュリティの専門家だったエドワード・スノーデンが不正に持ち出した文書を公開した。これまで極秘とされてきたアメリカのサイバー活動を暴露して、世界に衝撃を与えたが、この「スノーデン文書」は、主にこのＮＳＡの監視活動にまつわるものだった。スノーデンによれば、米情報機関のスパイ活動はインターネットなどサイバー空間で広範囲に広がっていた。ＮＳＡは大手ＩＴ企業などに協力を要請して「エックスキースコア」というプログラムで、自由に他人のアカウントにもアクセスできるようにしたという。

スノーデンは、二〇一三年にアメリカのスパイ活動に疑問を持ち、数万点の文書をＮＳＡから持ち出し報道陣に渡した。本人はロシアに亡命したが、文書の内容はアメリカのメディアが検証を重ね報じた。そこには、アメリカが同盟国を含めた各国の元首の電話を盗聴していたことや、大手ＩＴ企業の強力のもと米国内でも通信監視プログラム「ＰＲＩＳＭ」を作っていたことが書かれていた。

そして、電子メールやインターネットの検索やアクセス履歴、チャットなど、おおよそ一般的にユーザーがモバイル端末やインターネットで扱うすべての情報を、世界一五〇カ所の拠点で収集していたのだ。スノーデンはこのようなアメリカのスパイ活動に嫌気が差し、文書を持って亡命したと主張している。

現在、世界人口七八億人のうち、インターネットにアクセスしている人は四九億人ほどだ。北米や西ヨーロッパなどの先進国では利用者の数は人口の九〇％を超える。インターネットを使っている人たちの九二％（約四五億人）がスマホなどモバイル端末経由でインターネットを利用している。つまりネット利用者の多くは、電子メールやメッセージアプリを使いながら、位置情報を通信会社に提供していることになる。そうして集まったデータはさらなるスパイ活動に生かされてきた。

さらに、ＮＳＡは米軍のなかにあるサイバー軍とも密接な関係がある。ＮＳＡの長官とサイバー軍の司令官は同じ人物が兼務することになっており、両組織はメリーランド州のフォート・ミード基地に本部が置かれている。アメリカのサイバー攻撃は、この両組織が共同で行っていると考えればわかりやすいだろう。

これらの情報機関は、インターネットで監視ができれば人々の情報は手に取るようにわかるし、今どこで何をしているのかもある程度、遠隔操作で知ることができてしまう。

筆者が米情報機関の関係者から取材で聞いてきた話を総合すると、そうした監視活動はスノーデンによる暴露後も、変わらずに続けられている。アメリカでは自国民のむやみな監視は法律で禁じられているが、国外であればやりたい放題である。さすがに、民間企業からフリーパスで情報にアクセスさせてもらうことは難しくなったようだが、世界トップクラスの自由主義陣営の情報機関は、実際にはさまざまな手段を使って情報にアクセスができている可能性が高い。

世界で多くの人がインターネットやメッセージアプリなどを使えば使うほど、政府や情報機関は人々の行動を把握しやすくなる。皮肉なことだが、つまりは、便利さの見返りに個人情報をスパイに手渡しているということなのだ。

そもそもインターネットというシステム自体が、アメリカ軍から生まれたものだし、当然、インフラや関連産業のトップはアメリカ企業ばかりだ。

ロシアや中国によるなりふり構わないサイバー攻撃にもかかわらず、このサイバー分野でのアメリカの優位は依然、保たれているといえるだろう。

ロシアがウクライナ侵攻で情報拡散が劣った理由の一つには、この事実があった。

アメリカのハッカー対策

アメリカはこのようなサイバー部門を使ってどのように中国からの攻撃に対処している

のだろうか。まず、一番の対処法とされるのは、ハッカーたちを逆にハッキングすることだ。アメリカから犯行グループにサイバー攻撃を行い、彼らのＰＣをハッキングするのである。その手法で実行犯らを特定し、さらに顔写真や所属する組織の場所がわかる写真まで入手するという。それをもとに、司法省が手配書を作成し、犯人不在のまま起訴するのだ。

さらに悪質なハッキングと認定すると、ハッカーを抱える国に対して経済制裁を行うようになった。

二〇一四年にカリフォルニア州に拠点を置くソニー・ピクチャーズが、北朝鮮からのサイバー攻撃を受けて、多くのコンピューターを使えなくされる破壊工作が行われた、内部情報も大量に盗まれた。これを深刻に受け止めオバマ大統領は、二〇一五年一月に犯人である北朝鮮の三つの団体と一〇人の個人を特定し、彼らに制裁を科す大統領令一三六八七に署名。米史上初めて民間へのサイバー攻撃に経済制裁を科したケースとなった。

筆者は実際に制裁の措置に携わった米財務省職員に、この件について話を聞いたことがある。

「この大統領令は法的な観点からゲームチェンジャーとなる制裁措置で、サイバー空間を使った行為に科せられる制裁として画期的なものだった。仮に国がサイバー攻撃を命令していなくとも、サイバー攻撃によって得られた知的財産と知りながら利益を得た場合も制裁の対象となるのです」

そこまで徹底した対応をしなければ、「敵」に舐《な》められてしまい、犯行を抑止できないというわけだ。

もちろん、攻撃を受けてから報復するだけでなく、先制攻撃も行っている。ＣＩＡやＮＳＡが、中国などに対するサイバー攻撃工作を担当しているとされる。

またトランプ政権ではサイバー攻撃に関して、より攻撃的な転換が行われた。それまでは、大規模なサイバー作戦に関しては大統領の許可を必要としたが、現場の裁量に任せるようにしたのだ。それによりここ数年は、より機動的にアメリカはサイバー攻撃を行うようになっている。その成果は、後に詳しく触れるが二〇二〇年のアメリカ大統領選挙で発揮された。

アメリカが機動的になったのは、中国のサイバー攻撃の変化が原因の一つではないかと筆者は考えている。中国のハッカーが「盗み」以外にも手を広げてきたのだ。

二〇二〇年七月、ＦＢＩはＭＳＳの広東省安全局に協力する中国人ハッカー二人を指名手配した。公開されたその手配書には容疑としてこう書かれている。
「不正アクセス」「コンピューター権限へのアクセスおよび損壊」「企業秘密の不正取得」「有線通信不正行為」「悪質な個人情報詐取」。

これだけ読むといつもの「盗み」のようにも読めるが、このケースは単なる情報の詐取というレベルを超えていた。ここで手配された二人は、中国の国外で香港の民主化運動に関わっている活動家たちなど、中国の反体制派や数百の関連組織の情報をターゲットにしていたのだ。中国政府に敵対的な人たちを監視するための情報を不正に取得していたいわばサイバー攻撃と人権侵害をセットで行っていたのだ。

インターネット世界のルールづくり

オバマ大統領はかつて、サイバー空間は「無法地帯」だと発言した。法的整備が追いつかない中、アメリカも中国も、好き勝手にサイバー攻撃やサイバー空間でのスパイ工作を繰り広げてきたのである。CIAなどは、二〇一〇年頃から一〇年以上にわたって、中国の航空宇宙産業や石油産業といったエネルギー部門や、インターネット関連企業に対してサイバー攻撃を実施してきた。中国政府もこれを把握しており、「政府系機関から情報を盗まれている」とアメリカを批判している。

アメリカや中国のような大国のサイバー攻撃能力がさらに高まり、対象の物理的な破壊などを行うことも現実味を帯びている。さらに他国のビジネスを侵害することが安全保障の脅威にもつながりうるなかで、今後はより実効性のあるルールづくりが必要になってくるだろう。

一般の武器などの場合には、輸出管理に関する国際的な申し合わせであるワッセナー・アレンジメント、生物兵器に関しては開発・生産などを規制する生物兵器禁止条約がある。同様に人の生命や財産に影響を及ぼすサイバー攻撃にも、何らかの規制または枠組みが必要ではないかとの議論が何年も前から続けられている。

インターネット上の行動規範、つまり、ルールを決める議論は、国連で続けられてきた。二〇〇四年に国連はサイバーセキュリティ政府専門家会合（GGE）を設置し、国際法を当てはめたサイバー空間の規範を作るべく議論を重ねてきた。

しかし、具体的な規約内容になると、アメリカと中国・ロシアなどの間で主導権争いが繰り広げられている。そして現在まで、世界が何らかの形で合意できる兆《きざ》しはない。

アメリカをはじめとする欧米諸国は基本的に、国際法に則《のっと》って、サイバー空間にルールを当てはめるべきだと主張する。サイバー攻撃を武力行使であると考えるなら、先制攻撃をすることは許されないということになる。インターネットの利用ルールについては、公共財であるインターネットには誰もが平等にアクセスでき、表現の自由などを基本的な権利としてすべての人に保障すべきだとの立場を示している。

一方の中国はロシアとともに、自分たちが独自にまとめた行動規範を国連に提出している。その中では、西側諸国が主張している国際法の適用には触れず、サイバー空間を利用する際の新しいルールが必要であると主張してきた。

中国は、それぞれの国家が独自に自国内のインターネット上の情報やアクセス権などのルールを決め、統制すべきだとする。つまり国際的な取り決めでインターネットの国内運用に口を出されるのは、主権侵害であるという姿勢なのだ。中国政府がインターネットでの監視や検閲を正当化し、自国民がインターネットを使って何ができるのか、どんな情報を見ていいのかを管理するのは当然の権利であるというのである。さらに驚くべきことに、現行の国際法や人権法とは異なる独自の決まりを作るべきだと提案する。ことは単にネット上のルールではなく、もっと根本的な国家観、自由への考え方の対立なのだ。

この考え方は二〇一五年に、習近平国家主席が、中国で開催された「世界インターネット大会」で行ったスピーチで明確に述べている。そこで習近平は、アメリカがサイバー世界での主導権を掌握していることに不快感を示し、中国のインターネット管理への批判を、内政干渉だと非難した。習近平が中国のトップにいる限り、国際的な共通ルールがつくられる可能性はないだろう。

中国が世界基準をつくるのか

最近でもインターネット上のデータの取り扱いにまつわる取り組みについて、米中はせめぎ合っている。トランプ政権は二〇二〇年八月、中国を念頭に、5G通信機器の扱いをめぐって「クリーンネットワーク計画」を発表した。中国政府と繋がりのある中国企業の通信キャリア、アプリ、クラウドサービス、海底ケーブルなどを排除するよう同盟国に働きかけている。この流れは、バイデン政権になっても変化する兆しはなく、中国企業の排除は続くだろう。

するとそれに呼応するかのように、中国は世界基準づくりを各国に呼びかける構想「グローバル・データセキュリティ・イニシアティブ」なるものを発表し、サプライチェーン（供給網）を開放し、ネットでの個人情報の侵害を防ぎ、製品にバックドア（遠隔でアクセスできる裏口）を設けない、といった提案をしている。

これらはすべてアメリカがインターネット上で行ってきた工作の裏返しであり（中国も同じだが）、アメリカに対する当てつけのような内容になっている。

米政府が中国との関係で電気機器などのサプライチェーンを分断し、世界中の個人情報を収集し、通信機器にバックドアを設置していたことを示唆しているのだ。米情報機関は、監視対象がデジタル機器をネットショッピングなどで購入した際に、配達途中にその商品を確保し、丁寧にパッケージを開けて、バックドアを設置またはインストールして、また元通りに戻して配達させるといった荒技を仕掛けていたことも暴露されている。

中国はそうした情報をきちんと集め、アメリカ批判に使っているのだ。ここまで見てきた通り、スノーデンによる米政府の情報工作についての暴露情報が、いかに中国（さらにロシアも）を利しているのかがわかるだろう。

中国のスパイが狙うもの

ここまではサイバー技術を使った情報の不正取得について記してきたが、ここからは中国の人間を使ったスパイ活動について紹介しよう。

ＦＢＩは二〇一五年頃から、中国のスパイ活動について一〇〇〇件の捜査を行ってきた。その捜査によって、摘発されたのは、以下のようなケースだ。二〇一五年、ＩＢＭの中国系の元社員がソフトウェアのソースコードを中国側に渡したとして逮捕された。二〇一六年、アメリカの原子力関連の技術を中国側に提供する手助けをしたとして帰化した中国系アメリカ人が捕まった。二〇一八年にも、潜水艦に関する機器を中国に送ったとして中国人が摘発され、さらに同年には、米民主党の重鎮であるダイアン・ファインスタイン上院議員のかつての運転手が中国のスパイだったことが判明し、大きなニュースになっている。

二〇一九年には、カンザス大学で中国系の教授が、中国の大学との近い関係を隠して情報を流していたとして起訴されているし、ハーバード大学に招聘《しょうへい》されていた中国人のがん研究者が、持ち出し禁止のがん細胞の入った生物試料の瓶二一本を隠し持って中国に帰国しようとして逮捕されたケースもある。さらに、カリフォルニア在住の中国系アメリカ人のツアーガイドが、ホテルの一室で政府の機密情報が入ったＵＳＢデバイスを受け取り、飛行機で中国に持ち出そうとしたところを拘束された。

二〇二一年三月にはセシウム原子時計を不正に中国に輸出しようとして中国人が有罪に

なった。四月には、マサチューセッツ州に暮らしていた中国人が人民解放軍と深い繋がりのある中国の西北工業大学（ＮＷＰＵ）に、違法に一〇万ドル分の海洋機器を輸出していたことについて有罪を認めている。同じく四月、テネシー州では、中国政府から多額の資金をもらっていた中国系の科学者が、コカ・コーラ社から新しい缶の塗装技術を盗んで、有罪になっている。またイリノイ州では、南イリノイ大学の数学の教授が中国政府との関係を隠してアメリカ政府の研究資金を受け取ろうとしたとして起訴されている。

中国に協力するスパイのあまりの多さに、ＦＢＩは二〇一九年一〇月に、ワシントンのＦＢＩ本部で「アカデミア・サミット」と呼ばれる啓蒙イベントを行った。アメリカの教育機関に対して、中国のスパイとどう向き合うかを知ってもらうために開催されたのだ。しかしながら、中国によるスパイ活動は収まる気配を見せていない。

中国スパイの実態

米シンクタンクＣＳＩＳ（戦略国際問題研究所）は、アメリカにおける中国スパイの実態を次のように分析した。アメリカで活動する中国スパイのうち、

・四二％は、中国軍または政府関係者（スパイ機関など）

・三二％は、中国の民間人
・二六％は、中国人ではない（協力者となっているアメリカ人が多い）
何を狙っていたのかというと、
・三四％は、軍事技術を狙っていた
・五一％は、民間の知的財産を狙っていた
・一六％は、アメリカの民間組織や政治家の情報を狙っていた
そして、
・四一％は、政府系サイバー組織によるサイバー攻撃が絡んでいた

注目すべきは、中国のスパイの三分の一が、中国の民間人である点だ。つまり、専門的な訓練を受けた中国の人間だけが、アメリカ国内で暗躍して情報を盗んでいるわけではないのである。

その一般人をスカウトしスパイにしたてあげているのが、ＭＳＳである。

前出のＭＩ６の元スパイが、その一般の中国人をスカウトする方法の一つをこう話す。

「中国は毎年、旧正月が近づくと、国外に暮らす中国人に『帰国の手助けをします』とい

って接触する。そして、旅費などを援助し、その後、情報機関への協力を依頼している」

二〇二〇年に逮捕されたスパイは、チベット系アメリカ人でニューヨーク市警の警察官だった。交換留学生として二〇一二年にアメリカにやってきた彼は、オーバーステイをしたのちに亡命を申請、それが認められアメリカ人となった。ところが、ニューヨークの中国総領事館にいたスパイによってスカウトされ、自らもアメリカのチベット独立運動家を監視するスパイになったのである。

また、近年では、ＵＦＷＤ（中国共産党中央統一戦線工作部）の活動も盛んだ。この組織は、中国共産党の政策に賛同する国外の中国人を増やすことや、その人物を使って外国の世論を「親中」にするための工作を行っている。旧ソ連の対外工作を参考に作られたとされる組織だが、長年活用されてこなかった。

同組織に目をつけたのが習近平だ。二〇一七年の党大会で同組織を「共産党の目標の達成を確かなものにするために重要」と位置付けていたのである。国家主席の肝入りということもあり、いまではすべての在外公館に職員を派遣しているという。ＵＦＷＤは、留学生や海外の研究機関に所属している研究者たちの動向を、中国学生学者連合会を通じて監視している。主なチェック対象は、台湾問題、チベット問題、新疆《しんきょう》ウイグル自治区の問題などで中国の政策に反対する言論活動をしていないか、という点だ。中国語や中国文化を学ぶという名目で、日本やアメリカなど各国の大学に作られている「孔子《こうし》学院」などの組織とも密接な協力関係があるとされている。

ＭＳＳやＵＦＷＤという情報機関に属している職員たちが、スカウトした一般人を工作員へと仕立て上げて盗みを行わせるのだ。

国民全員をスパイにする法律

中国のスパイの人数は、どこの情報機関も全体像を把握できないほど多い。それは、国民全体がスパイ活動に容赦なく動員されているからだ。驚くべきことに習近平体制では、民間企業や個人もＭＳＳなど情報関連機関による協力要請や情報提供要請に応じる義務を負うことが、法律で明確に規定されるようになった。二〇一五年以降に改正、制定されたスパイに関連する法律をみてみよう。

二〇一四年から二〇一五年にかけて改正された、「国家安全法」は、そもそも一九九三年に制定されたスパイ活動に対応するための法律だった（一時、「反スパイ法」という名前だったこともある）。習近平体制は、これを時代に合わせてさらに強化した。

重要なのは、第一一条で「中華人民共和国の国民、軍を含む全ての国家機関、政党、団体、企業等の社会組織は、いずれも国家の安全維持の責任と義務を有する」としている。国民や組織は様々な側面で、当局に全面的に協力しなければならないと明記された。ここでの「国家の安全」とは、共産党の一党独裁体制を指している。

続く二〇一六年には、「サイバーセキュリティ法」が制定されている。第二八条に、「ネットワーク事業者は治安当局に技術的なサポートと支援を提供しなければならない」と示されているように、この法律は、企業がＭＳＳなどの情報機関からの情報提供の要請などに従う義務を負うことが明記されている。当局がインターネットなどの情報にアクセスするのに、アリババ（阿里巴巴）やファーウェイ（華為技術）などのＩＴ企業は、協力しなければならないと定めたものだ。いわば中国のＩＴ企業のスパイ化である。中国のＩＴ企業が諸外国から危険視されるようになったのも、この法律の成立が大きい。

とどめといっていい法律は、二〇一七年に制定された「国家情報法」だ。諜報において国家と民間が不可分な関係にあることを表すその法律の中で、特に注目すべき条文は、「個人や組織は政府の情報活動に協力しなければならない」と定めた第七条だ。さらに、第一四条では「情報機関が国民に協力を要請できる」ともしている。

それ以前にも、中国の民間企業は政府の協力要請を拒否できない仕組みになっていたが、決定的に範囲が広がっていったことがよくわかる。つまり、中国国民はすべて潜在的にはスパイであることを要請されていうのである。

これらの法律があれば、中国の情報機関や治安当局などは、「中国の安全を守るため」と称して、企業や個人が入手した個人データを思いのままに取得できることになる。民間企業のデータも、「提出せよ」の一言で「合法的」に、全て国が手にすることができるというわけだ。

「千人計画」は氷山の一角

中国による人材に関する工作でいえば、近年日本でも話題に上がるようになった「千人計画」にも触れておこう。千人計画とは、二〇〇八年に立ち上げられた国家的な人材獲得戦略だ。国外にいる中国人や外国人の科学者などを中国に集め、彼らから技術を吸収することを目的としている。日本では、「中国は単に研究開発の場を与えているに過ぎない」といった見方もされているが、現実はそう甘くない。中国はＩＴやＡＩなどの技術を持った人材に狙いを定めて触手を伸ばしている。たとえば、アメリカの大学に留学し、そのままグーグルやアップルなどのIT企業に就職した中国人は、格好のスカウト対象になっているという。その人数は二〇一九年の段階で八〇〇〇人を超える（NHKスペシャル取材班『米中ハイテク覇権のゆくえ』NHK出版）。

二〇二〇年七月、テキサス州ヒューストンの中国総領事館が、アメリカ政府の命令で閉鎖された。この領事館は、中国の産業スパイの拠点になっていたとされる。ヒューストンは、アメリカ航空宇宙局（NASA）のジョンソン宇宙センターなどがあり、宇宙産業の関係者が多く集まる街だ。中国のスパイたちは、そこで最先端産業の関係者をスカウトしようとしていたのだ。

中国は、千人計画と同様のプロジェクトを同時に二〇〇以上動かしているとされる。中央政府のみならず、地方自治体なども独自にスカウトを行っているのだ。対象国は、イギリス、ドイツ、シンガポール、カナダ、日本、フランス、オーストラリアなどで、それぞれの国から合わせて一〇〇〇人を超える人たちがリクルートされ、人的交流の名のもとに中国の研究機関と掛け持ちをしたり、実際に籍を移すなどしている。

アメリカは、千人計画を含む中国の人材スカウトプロジェクトについてわかっているだけでも中国の研究機関一四六カ所と友好関係を築き、資金提供を受けたり、人を送り込むなどしていると考えている。米情報当局者がメディアに語ったところによると、アメリカでは「すでに一万人以上が計画にかかわっており、参加者には本職でもらっている給料の三~四倍の金額が中国側から提供されている」という。FBIが摘発に本腰を入れるのは当然だと言えよう。

また、中国の人材獲得の手は、アメリカ以外にも伸びている。二〇二一年一一月に公開された前述の米中経済安全保障調査委員会の報告書によれば、中国は、世界中の半導体関係企業の従業員に、二~三倍の給料を提示し、二〇一九年末までに三〇〇〇人以上を引き抜いたと報告されている。台湾では、半導体エンジニアの一〇%が中国に引き抜かれている。

アメリカのみならず、世界各地の先進国で同じような工作が行われていると考えて間違いない。

チャイナ・イニシアティブ

こうした中国の動きにアメリカはどう対応しているのか。二〇一八年、米司法省は、「チャイナ・イニシアティブ」というキャンペーンを立ち上げた。同省は声明で、「米司法省が起訴する産業スパイのケースの八〇%ほどは、中国という国家に利益をもたらし、企業秘密が奪われるすべてのケースのうち六〇%は、中国が何らかの形でかかわっている。司法省のチャイナ・イニシアティブは、米政府が中国による安全保障への脅威に対抗し、大統領の包括的な安全保障戦略を強化すること」と、その目的を表明している。

このキャンペーンでは、千人計画のような人材スカウトプログラムも企業秘密を奪うスパイ工作の一環であると断じた。チャイナ・イニシアティブでは、はっきりと中国政府がアメリカの企業や大学など へ全米規模で行っている「詐取行為」、つまりアメリカで育てた技術を中国が奪うことを摘発するとしている。そうすることで、「学問の自由と研究・教育機関を中国政府による工作から守る」のだという。

司法省は、このイニシアティブのために連邦検事など八人を委員とした。そのメンバーは中国によるスパイ工作が頻発している石油などエネルギー企業の多いテキサス州や、世界的な大学や研究施設の多いマサチューセッツ州、シリコンバレーなどハイテク企業の中心地であるカリフォルニア州、さらに国際機関などが多いニューヨーク州の連邦検事が名を連ね、FBIの幹部も入っている。

ところが、本書執筆中の二〇二二年二月末に、このチャイナ・イニシアティブの終了が突然発表された。理由は、「人種差別につながるからだ」という。

アメリカ情報機関の苦戦

近年アメリカの人的諜報（ヒューミント）における対中スパイ活動は、苦戦を強いられているとされる。それは中国の国内で活動していたＣＩＡなどの協力者たちが、次々と摘発されたり、消されたりしたためだ。すこし前の情報になるが、二〇一二年までにＣＩＡは少なくとも数十人の協力者を失ったとされており、その後も数が増えつつある。ＣＩＡの手配によって、運良く国外に逃れることができたのは少数だけだったという。

その原因は情報の流出だ。二〇一五年に、アメリカの政府職員の人事情報を扱う連邦人事管理局（ＯＰＭ）から、ＣＩＡ職員などを含む連邦職員二二一〇万人分の個人情報が中国政府系ハッカーによって盗まれた。これによって中国側に、ＣＩＡの関係者の情報が一気に流れてしまった。

さらに、二〇一八年にアメリカ国内で逮捕された元ＣＩＡスパイの存在がある。この人物は、海外とバージニア州にあるＣＩＡ本部などを結ぶ極秘システムの情報を、現金と引き換えに中国に漏らした。そのシステムから中国大陸にいるＣＩＡ協力者の身元が割れたのだ。ある米政府関係者は数年前、筆者に、「中国におけるアメリカのスパイ活動で史上最悪の状況」になっていると述べた。協力者やスパイをスカウトし育て上げるには、相当な時間と緻密な戦略が必要になる。すぐに活動再開、とはいかないのである。

あまりにも通信傍受やサイバー攻撃を利用した諜報（シギント）が進み過ぎたために、そちらに重きが置かれ、ヒューミントを支える人材や組織、技術の共有などが上手くいっていない、というのだ。

次章では、米中の国家レベルのデジタル覇権をめぐる争いをみていこう。

第三章　デジタル・シルクロードと米中デジタル覇権

デジタル・シルクロードの意味

中国が二〇四九年までに世界の覇権を握るために、特に重視している産業がハイテク分野である。それは単なる産業政策に留まらず、外交、安全保障とも深く結びついている。それを端的に示しているのが、二〇一五年に中国政府が発表した「デジタル・シルクロード」構想だ。この構想は、「一帯一路」計画の一部で、中国国内だけでなく、ユーラシア、アフリカ大陸などにまたがる巨大な中華デジタル圏を作ろうとするものだ。

「一帯一路」は、すでに広く知られているが、一言でいえば、中国とヨーロッパを結ぶ巨大経済圏構想である。この「一帯一路」の最大の眼目は、中国と西欧の中間にある中央アジア諸国や中東諸国、東欧などに積極的に投資を行い、中国の影響力を高めるところにあり、実際に大きな成果を挙げているといえるだろう。

デジタル・シルクロード構想は、その「一帯一路」の一環として、ユーラシア大陸における中国のデジタル覇権を目指すものでもある。それは「テクノロジー独裁主義」と批判される、デジタルによる中国共産党の支配強化とも密接に結びついている、と警戒する声も上がっている。

この構想は、「中国製造２０２５」（５Ｇなど次世代情報技術、宇宙技術など重点分野の高度化を目指す産業政策）ともつながっている。そこでは、中国は二〇二五年までに移動通信やＡＩ、そして半導体などで世界をリードするような国になると宣言している。

「デジタル・シルクロード」、「一帯一路」、「中国製造２０２５」、これらはすべて、世界の勢力図を変更しようとする、中国の一貫した「国策」だといえるだろう。その「国策」の目的は、世界を牛耳《ぎゅうじ》ってきたアメリカから「情報大国」の地位を奪うことである。

では、具体的にデジタル・シルクロード構想の内容を見てみよう。中国政府が外交を通じて、「一帯一路」域内の各国に働きかけ、デジタルインフラの整備の許可をとる。そして、中国の標準規格を導入させ、通信機器をファーウェイなどの、中国製のみで固めるよう促していく。中国製品は、利益度外視で国の補助金を得て作られているので、格安で導入することが可能だ。当然ながら欧米のメーカーは排除される。

そこに、中国のEコマース（EC、ネット通信販売）業者や金融機関が進出してビジネスを拡大する。インフラ設備、端末機器、決済システムを中国が握ることで、金や情報が一気に中国に流れ込む仕組みを作るというわけだ。

このデジタル・シルクロードが完成したら、各国のシステムが中国本国から常に監視されるばかりか、遠隔アクセスされるようになってしまうのではないか、という重大な懸念が持たれている。

本章では、そのツールとなる「5G」「監視カメラ」「決済システム」で世界的にビジネスを広げる三社を中心に検証することで、軍事力を伴わない「中国の拡大」について考えていく。

新しいインターネットの「帝国」

デジタル・シルクロードは、すでに世界に拡大を見せ始めている。一帯一路に参加している国は少なくとも一四七カ国あるが（二〇二二年二月現在）、そのうちデジタル・シルクロード、すなわち中国主導によるインターネットなどのインフラ整備に興味をもつ国は三分の一ほどになるといわれている。

たとえば、マレーシアもそうだ。二〇一八年の段階で、マハティール・ビン・モハマド首相は、一帯一路への参加中止も含めて再検討すると発表していた。だが中国がマレーシアのＡＩ研究開発に五億ドルの投資をすると方針を転換し、一帯一路への参加を継続している。ファーウェイが関与することに情報漏洩の懸念はないかと記者に聞かれると、マハティールは「マレーシアの何をスパイするのか？」と答えている。マハティールの「ルックイースト」政策は、日本ではなく中国を見るようになっているのだ。デジタル・シルクロードにも参加する可能性が高い。

デジタル・シルクロードに参加する国の多くはデータのプライバシーよりも、まず国内でインターネットのインフラを整えることが優先している。中国の提供するシステムや機材は安価な上に、導入に際して中国政府の資金面の援助も得られるのだから、これほど魅力的な話もない。

そこでインフラ設備の機器を提供するのが、ファーウェイや監視カメラ大手のハイクビジョン（杭州海康威視数字技術）、顔認証ソフトを提供するセンスタイム（商湯集団）だ。いずれも人権侵害や人民解放軍とのつながりなどで、米政府との取引を禁止された札付きの企業だ。

彼らが提供するシステムの一つが、「5G」と呼ばれる最新の移動通信システムである。

5Gは、一九八〇年代に導入された携帯電話の通信システムを第一世代として、五世代目にあたるシステムという意味だ。5Gは、それまでの4Gよりも通信速度が理論上では一〇〇倍速くなり、大きな容量のデータでも瞬時に動かすことができるようになる。例えば二時間の映画をダウンロードするためにこれまで五分かかっていたものを、数秒に短縮することも可能だ。そのため、自動運転技術など大量のデータのやり取りが必要なものが、より身近になるとされている。5Gは歴史的にも重要な技術革新であるとして期待されているのだ。

その主導権を自分たちが握りたいと考えているのがアメリカと中国だ。情報インフラは、設備投資やメンテナンスなど莫大な資金を必要とする。さらに、一度導入したら変更することは困難だ。その重要さを理解しているからこそ、両国は目の前の勢力圏の拡大に躍起になっているのである。

ファーウェイの真実

中国でその5G技術を代表しているのがファーウェイだ。ファーウェイは一九八七年、人民解放軍のエンジニア部門で副局長を務めた任正非が広東省深圳《しんせん》で創業した。携帯電話や通信機器を製造する同社は中国の発展と共に急成長をとげることになる。二〇一九年には携帯電話の世界シェア第三位（一三・五％）となった大企業だ。

そのファーウェイは、創業当初から中国政府の莫大な産業補助金を受けてきた。米シンクタンクの外交問題評議会は、すでに世界的大企業になっているファーウェイに、二〇一八年だけで二億二二〇〇万ドルの補助金が渡っていると批判している。

それに加えて、政府による融資の限度額を一〇〇〇億ドル（約一一兆円）に拡大し、惜しみなくサポートしてきた。そうした手厚い支援を得て、ファーウェイは製品を他国のライバル企業よりも安価に売り出すことができたのである。

政府の肩入れは補助金だけにとどまらない。二〇一九年に、ドイツの5G市場からファーウェイ製品が排除されそうになったときには、在ドイツ中国大使は強く抗議し、さらにドイツ車の輸入制限を設けるなどの報復措置を示唆している。

そのファーウェイは、これまで情報の不正入手に関与していたという多くの疑惑を持たれている。

二〇一八年、フランスの「ル・モンド」紙で報じられたのは、アフリカでのスパイ疑惑だ。エチオピアの首都アディスアベバにあるＡＵ（アフリカ連合）本部の建設を中国が友好の証《あかし》として担当することになった。本部ビルの通信インフラには、ファーウェイ製品が導入されたのだが、ここにスパイプログラムが設置されていた。毎晩一二時になると、上海にあるサーバーに、ＡＵの政策や協議の記録など内部情報が転送されていたのである。

ある情報機関の元幹部は筆者に、「ＡＵの話は私たち関係者の間では知られていた」と語っている。彼によると「本部内の壁やテーブルなどからも盗聴器などが発見された」という。

筆者が取材をしたインターポール（国際刑事警察機構＝ＩＣＰＯ）のサイバー部門幹部は、「ＡＵの事件が発覚した際に、インターポールはサイバーセキュリティ局ＩＧＣＩの本部ビルをシンガポールに建設中だった。シンガポールの建設会社では中国系の労働者もたくさん働いていたために、ニュースを受けて、建設に関わる労働者の身元確認を徹底するよう指示し、建設現場の警備も強化した」と危機感をあらわにした。

二〇一九年八月、米紙「ウォール・ストリート・ジャーナル」は「アフリカ東部ウガンダと南部ザンビアのスパイ機関にファーウェイの技術者らが協力し、反政府活動家や野党関係者の通信を傍受したり、ＩＴ機器へ不正アクセスしたりするなど、スパイ行為に加担している」と報じた。

オーストラリアの国際的なエネルギー大手企業のサイバーセキュリティ責任者だった人物は、筆者にこんな話を教えてくれた。

「ファーウェイ製品は、二〇一四年にわが社のネットワークから不正にデータを流出させていました。ある時、データ送信の動きを不審に思い、調べると中国に送られていることに気がついたのです。これは大きな話題になり、それ以降、オーストラリアは政府関係機関や大手企業にファーウェイ機器を使わないよう非公式に通達するようになりました」

米ヘリテージ財団は、二〇二〇年の報告書でAU本部やウガンダとザンビアのスパイ疑惑に触れた。さらに中国政府がこれまでにアフリカ大陸の少なくとも四〇カ国で一八六棟の政府庁舎などを建設または改装してきたと指摘。その上で、そうした建物に仕掛けた機器を悪用して、スパイ活動を行っている可能性が高いとまとめている。そのすべての事例においてファーウェイは、「そのような事実はない」と否定している。

小国の大使館や予算の乏しい国際機関は、格安で建設や内装工事を請け負ってくれる中国についつい頼ってしまう。しかし、そこには大きな落とし穴があるものなのだ。

NSAの監視

ファーウェイがアメリカ市場に進出したのは二〇〇〇年頃のことだ。アメリカでビジネスを始めると、通信機器大手のシスコなどアメリカ有数の企業と提携を始めたが、すぐにソースコード（プログラムの設計図）を盗んだとして訴訟問題に発展している。

アメリカ政府がファーウェイを注視するようになった一因は、同社の創業者任正非が人民解放軍出身だったことに加え、任の元妻が中国共産党幹部の娘だったこともあるといわれている。

ネットや通信傍受を専門とする米情報機関NSAが、任正非に対する監視活動を本格的に開始したのは二〇〇九年頃のこととされる。作戦名は「ショット・ジャイアント」。ファーウェイの内部文書や任ら幹部たちの人脈が調査の対象となった。

その数年にわたる調査から判明した事実などがまとめられ、二〇一二年には米連邦議会が五二ページからなる報告書を発表している。調査を率いた下院情報特別委員会のマイク・ロジャーズ議員（当時）は、ファーウェイとZTE（中興通訊）の二つの通信会社が、人民解放軍や中国共産党と癒着し、スパイ活動やサイバー攻撃の温床となっており、安全保障への脅威であると主張した。報告書では、両社の通信機器などをアメリカのシステムに導入すれば、知的財産や機密情報が盗まれる可能性があると指摘している。

このロジャーズの調査報告書が契機となり、アメリカは民間企業にも二社の製品を使用しないよう促すことになった。

さらにアメリカ政府とファーウェイの関係が大きく動いたのは、二〇一八年八月のことだった。アメリカ議会は国防権限法のもと、米政府や関係機関でのファーウェイ機器の調達禁止を正式に定めたのである。そして、同年一二月には、カナダ政府がアメリカ政府の要請で、ファーウェイの最高財務責任者（ＣＦＯ）兼副会長である孟晩舟を逮捕した。孟は創業者任正非の娘でもある。

逮捕の理由は、アメリカ政府の対イラン制裁に違反してイラン企業と取引をし、米金融機関に対して虚偽の説明をしたから、というものだった。実はこの件、米当局が集めたファーウェイに関する証拠は、「外国諜報活動偵察法（ＦＩＳＡ）」に基づいて機密扱いとなり、公開されていないため詳細は不明だ。

ただファーウェイはイラン市場で独占的に通信機器を販売する権利を得ていた。さらにイラン政府はファーウェイ製品を、検閲や反体制勢力の監視に利用していた。イランの他にもファーウェイは、イラクの独裁者だったサダム・フセイン、アフガニスタンのイスラム原理主義組織タリバンなどを取引相手とするなどアメリカと敵対する国でビジネスを拡大してきた実績がある。

孟晩舟は逮捕後、カナダに留め置かれ、アメリカへ身柄を引き渡すかどうかの審理が続けられてきた。中国政府は、孟の逮捕直後にカナダ人二名を「スパイ罪」で逮捕した。報復行為と見て間違いないだろう。

二〇一九年五月一五日、トランプ大統領はアメリカ企業が、敵対的な国（国名は明示せず）の企業の通信機器を使用することを禁止する大統領令に署名した。さらに二〇二〇年六月、連邦通信委員会はファーウェイとＺＴＥを「安全保障上の脅威」と認定するなど徹底的な排除を決めた。その理由を「ファーウェイの５Ｇ通信機器などが、スパイ活動に使われる可能性があるからだ」としている。

そのようなファーウェイの徹底的な排除ののち、二〇二一年九月、米中の交渉の末、孟晩舟側がいくつかの罪を認めることで、米司法省が釈放することになった。孟晩舟は、中国政府の用意したチャーター機で帰国し、中国国旗を意識したかのような真っ赤なワンピースを着て、タラップを降りた。大勢の群衆が中国国旗を振って迎え、スターのような扱いを受けた姿が世界に配信されている。中国側にすれば、アメリカの不当な逮捕から帰還した「英雄」というわけだ。中国政府は、この釈放を受けて「スパイ罪」で投獄していたカナダ人二名を釈放している。さながらスパイの身柄交換を思わせる場面だった。

孟の帰国後も、アメリカがファーウェイとのビジネスを再開する気配はみられない。ファーウェイのスマホでは米アルファベット社（グーグルの親会社）のOS（基幹ソフト）であるアンドロイドOSを搭載できず、半導体関連部品なども、米政府との関係が深い企業からは調達することが簡単にはできなくなった。中国国内や途上国などではスマホ販売などのビジネスはできても、競争力を大いに損ねたのは間違いない。アメリカでビジネスから徹底的に排除されたこともあり、二〇二一年、ファーウェイのスマホにおける世界シェアは下落し、トップ5から滑り落ちることになった。

二〇二二年、ファーウェイは、二〇二一年一二月期の決算で、売上高が前期比で二八％（約一二兆円）下がったと発表した。

世界を見渡すと、米政府の要請によってファーウェイ製品を禁止にした国もあるが、同盟国であってもその決断を下せていない国もある。いずれにしても、以前のようにファーウェイがアメリカでビジネスを展開できるとは考えにくいだろう。

人権侵害に加担しているのか

さらにファーウェイは、中国内の重大な人権侵害に加担しているとされる。民族弾圧として世界中で批判が集まる新疆ウイグル自治区においても監視システムを提供している、と指摘されているからだ。これも欧米諸国が、ファーウェイ製品を忌避する一因となっている。

ファーウェイは、中国政府に協力し二〇一一年からビデオ監視システムや顔認証技術を提供している。ウイグルへの監視は、二〇一七年ごろから厳しさを増し、二〇一九年までに一三〇〇〜一四〇〇カ所の強制収容所（中国政府は「職業訓練所」と呼んでいる）に一〇〇万人が入れられたという報告もある。さらには女性への強制不妊手術、ウイグルの特産である綿花を取るための強制労働など、欧米からは民族浄化（ジェノサイド）であるとの声も上がっている。

イスラム教を信仰するウイグルへの弾圧に対して、欧米諸国だけでなくアラブ諸国やイスラム原理主義グループなども反発を強めるのでは、という声もあるが、事は単純ではない。

筆者は二〇二一年八月にアフガニスタンを制圧したタリバンのスハイル・シャヒーン

（同国の政府で国連大使に就任）に取材をした。その際に、こんな質問をした。

「新疆ウイグル自治区では中国政府の厳しい支配で多くのイスラム教徒が苦しんでいる。ウイグル自治区のイスラム教徒の扱いについてどう思っているのか」

　すると彼はこう答えた。

「彼らイスラム教徒は中国の国民であり、中国に暮らしている。ほかの中国人と同じ権利を持ち、同じ権利を享受できる。まったく同じ権利だ」

だから、何も問題はないし、中国政府を批判しない、と彼は言うのだ。ファーウェイはタリバンにも通信技術を提供しており、中国の影響力は大きいと感じた。

監視カメラとＡＩ

　問題を抱える中国のデジタル企業は、他にもある。それが、急成長を遂げている監視カメラ大手のハイクビジョンだ。二〇〇一年に中国の浙江省杭州で設立された同社は、監視カメラ市場で世界シェアトップの三八％を誇るグローバル企業だ（二〇一八年公表の資料による）。同社の監視カメラは、世界中のいたるところに設置されている。インフラ施設にとどまることなく、商業施設、イベント会場、アミューズメント施設、教育施設、医療関係施設、宿泊施設、空港などに導入されている。中国国内外に広がるビジネスで年間七〇億ドルほどの収益を得ているとされる。

　米大手シンクタンクのＣＳＩＳは、「ハイクビジョンの創業に携わって支配をしてきた出資者や関係者たち、さらに同社のトップ層はすべて、緊密に中国政府と繋がっている。中国政府は、同社の四一・八八％の所有権を持っており、ハイクビジョンを支配する立場にある」という報告書を公表している。

　監視カメラといっても、映像を撮影し、録画するだけの防犯カメラのイメージで考えてしまうと、本質を見誤ることになる。同社の製品は、建物、街の中にいる人々の顔を撮影し、それをＡＩによって分類、データ化している。まさにハイテク化の粋を集めた機器といっていい。

　これは中国の国策と一致したものだ。

　二〇一七年、中国共産党は「二〇三〇年までにＡＩの分野で世界のリーダーになる」とする目標を発表した。また、国務院によって発表された「次世代ＡＩ発展計画」では、数年で国内のＡＩ産業を一五〇〇億元（約二兆五〇〇〇億円）規模に成長させるとぶち上げた。

科学技術関連事業を管轄する中国政府の科学技術部（部は日本の省庁に相当）は、ＡＩ発展計画推進弁公室を通じて、「ＡＩ産業発展同盟」も発足させた。全国二〇〇社を超える関連企業や機関が手を組んでＡＩ推進に乗り出している。

　近年の本気度を象徴するかのように、ＡＩ関連の研究論文は激増している。中国のＡＩ論文は、一九九七年に世界全体の四％ほどしかなかったが、二〇一七年には二七％にまで増えているのだ。学術誌に掲載されるＡＩ関連の論文の引用実績でも、二〇二〇年に初めて中国がアメリカを超えて世界一位になっている。二〇一九年のＡＩ関連企業の数を見ても、アメリカの約二〇〇〇社に次いで世界第二位で一二〇〇社ほどが登録されているが、まだまだ増えることだろう。中国のＡＩ企業の特徴としては、画像・映像認識ソフトや音声認識ソフトなどを主として扱っているところが多い。

　中国のＡＩ技術の進化はめざましいものがあるが、その結晶である監視カメラを、スパイ活動や、政府にとって好ましくない人間の管理強化に利用しようとしているという問題がある。

　ハイクビジョンの最大の問題は、ファーウェイと同じくウイグル族への監視活動への技術協力である。ウイグル族の強制収容施設にも導入されており、人々の自由を奪い続けている。同社のウイグル弾圧への加担が発覚すると、欧米の企業は次々と同社の株式を手放す事態にもなった。さらに同社のカメラが人権侵害の象徴となったのは、二〇一九年から翌年にかけて起こった香港の民主化デモだった。当時、デモ隊は香港の至る所にある監視カメラを破壊した。彼らがマスクや布で顔を覆っていたのは、同社のカメラが撮影した情報をもとに香港政府（中国政府）に逮捕されることを恐れたためだ。

ちなみに、ハイクビジョンは民間に販売するものよりも、さらに性能が良いカメラや、ＡＩによる高性能の顔認証ソフトを中国政府には提供していると囁かれている。さらに、政府のお墨付きで、中国各地の監視カメラの映像をデータベースに蓄積しているという指摘もある。

欧米諸国が問題視しているのは、ハイクビジョンが中国国内だけでなく、国外でも個人情報を収集している疑惑だ。アメリカもこの指摘を受けて排除に動いた。

同社の製品は、米陸軍を含む公的機関で使用されてきた。ところが、二〇一七年に「ウォール・ストリート・ジャーナル」が、「ハイクビジョンのカメラは、アメリカを監視している」可能性があり、すぐに使用を停止すべきだとの記事を掲載した。アメリカ政府はすぐさま反応し、公共施設で同社の製品を撤去、さらには、翌二〇一八年に国防権限法で政府調達を禁止すると発表したのだ。同社に対する制裁は今も続き、二〇二一年三月には、米連邦通信委員会から改めて「アメリカの国家安全保障への脅威になっていると認められる」と発表されている。二〇二一年四月には、ついに欧州議会の敷地内からハイクビジョン製品はすべて排除された。

顔認証の罠

前にも述べたように、ＡＩに関しては中国の技術の進歩、力の入れようには目覚ましいものがある。このままの状態が続けば、欧米が付いていけなくなる可能性は小さくないだろう。

ＡＩを「賢く」するには深層学習（ディープラーニング）が重要な要素となっている。そのためには、できる限り多くのデータを読み込んで学習させる必要がある。人権への配慮を必要とせず大量のデータを集めるのに中国ほど適した環境はない、という皮肉な事態を生んでいるのだ。

プライバシーや人権を無視しながらどんどん情報を収集して、ＡＩの精度を高めている中国に対し、欧米諸国はまったく逆の方向に進んでいるのが現状だ。欧米などの自由主義国家では、民間企業が同様の措置を取ろうとすれば、ユーザーの反発を招くし、政府がそれをしようものなら反対運動が起きかねない。ＧＡＦＡ（グーグル、アップル、フェイスブック〔現・メタ〕、アマゾン）として知られる米大手ＩＴ企業も、個人データの扱いについて、世界中の規制当局から厳しい眼差しで見られている。

欧州では二〇一八年五月にＥＵ一般データ保護規則（ＧＤＰＲ）を施行し、個人情報の保護を強化した。欧米では個人のデータの保護は基本的人権の一つであるという認識がある。同法律を施行した欧州委員会は、「デジタル経済の成長を推進するのに消費者の信頼は欠かせないものである」と指摘しているほどである。

ＡＩを進化させるのには、プライバシーも関係なくデータを吸い上げるという中国型の価値観の方が勝《まさ》っている。中国政府がＡＩ覇権を掲げる二〇三〇年には、中国の方が強力なＡＩシステムを作り上げているかもしれないのである。

中国市場の巨人・アリババ

さらに、デジタル・シルクロードが目指しているのは、ユーラシア大陸に中国主導の電子市場を確立させることだ。その先には、デジタル人民元による世界通貨の支配という目標がある。その〝先兵〟が、アリババグループであり、傘下にある金融関連会社アントグループ（螞蟻集団）だ。そしてその〝主力兵器〟は、アント・グループが運営するアプリ決済サービス「支付宝（アリペイ）」だ。

当然、その影響力が広がれば広がるほど、中国はインターネット空間を使って、人々をより強力に監視・コントロールすることができるようになる。

将来的に人類のほとんどは、インターネット空間の上に、生活環境などの大部分が置かれる世界に「暮らす」ことになるだろう。つまり、ネットを制することは、世界を制覇することとイコールなのだ。

では、アリババとはどのような企業なのだろうか。

一九六四年生まれの英語講師ジャック・マー（馬雲）が、アメリカの影響を受けて情報発信サイトをつくったのは一九九五年のことだ。その後、中国の政府機関でインターネット事業に携わり、一九九九年にアリババを設立した。

アリババの規模の大きさは、日本で暮らす我々の想像を絶する。二〇一八年には、中国のモバイル決済の総額は、約四七〇九兆円にものぼっており、二〇一三年からの五年間でその規模は約二七倍に拡大しているという。そのなかでも、アリペイのスマホ決済額での中国国内シェアは五四％に達し、中国の消費者に最も使われているサービスとして君臨している（中国大手調査会社 iResearch による）。

すでに中国の都市部では、スマホ決済がなければ生活できないとも言われている。ショッピングや食事にはじまり、屋台での買い物までスマホ決済が浸透しているのだ。サービスはさらに生活全般に広がり、電気代や水道代、家賃や住宅ローンなどの支払い、資産運用などにも使われている。現在、八〇〇〇万を超える加盟店で一〇億人以上がアリペイを使っていて、そこから得られるさまざまな情報が、個人情報と紐《ひも》づけられてすべてアリババに集約される。それをベースにターゲット広告を行うことで、さらに莫大な利益が生まれている。

さらにアリババが提供するＥＣのプラットフォーム「Alibaba.com」は、四億人以上のユーザー数を誇っている。現在、中国国外の利用者から上がる利益はアリババ全体の一〇％ほどに過ぎないが、今後はそれを四〇％にまで増やすことを目指している。そのためには、デジタル・シルクロードなどの世界的な展開は欠かせないというわけだ。

ファーウェイ、ハイクビジョンと同様、アリババもまた、中国政府による後押しを受けながら成長し、世界有数の巨大企業になった。中国政府は、中国大陸という巨大市場への進出を狙っていた米のアマゾンを排除する必要があったため、マーの会社に白羽の矢を立てた。そして、特別に優遇して成長させてきたのだ。ここでも中国政府とアリババの密接な関係が窺える。

信用情報は宝の山

いずれにしてもアリババだけで延べにして全人口に匹敵する一四億人以上の詳細な個人データをもっていることになる。これを使えば中国人の個々の「生態」が手にとるようにわかるだろう。どこに暮らし、どこで働き、何を好んで食べ、趣味は何で、家族構成も恋人の数も、性的嗜好も把握される。検索履歴や購入した新聞や雑誌、書籍も記録され、どんな政治体制を好み、現政権について、また、世の中についてどう考えているかもすべてわかる。誰と頻繁にメッセージのやり取りをしているのかも筒抜けである。

アリババはそうしたデータを自社のサーバーに蓄積し、「芝麻信用」という個人信用評価システムを作り上げている。このシステムは、中国人の信用力をスコア化するもので、「信用の可視化」とも言われている。そうした情報は、クラウドコンピューティングと機械学習、ＡＩなどの先端技術によって徹底的に分析されている。ここまで見てきたような買い物や支払いなどの個人データに加え、ＳＮＳの交友関係（信用度の低い人と友人なら信用度が落ちる、など）まで加味されて、点数をつけられる。満点は九五〇点で、最低は三五〇点だという。

この信用が一定スコア以上であると、ホテル、レストランなどの優先予約といった、クレジットカードの付帯サービスのようなレベルから、ビザの取得申請手続きの簡素化などの公的サービスにまで影響が及ぶ。さらには、結婚の際にも信用調査として利用されているというから、もはや中国人はアリババの管理下にあるといっても過言ではない。

この信用スコアは、金融系業者だけでなく、ホテルやレストラン、レンタル・シェアリングサービスなどでも利用されている。アリババはこうした企業などから芝麻信用の利用料を徴収して、莫大な収益を上げるビジネスに成長しているのだ。

しかし、こうした情報の収集はアメリカの巨大ＩＴ企業もやっていることだ。このアリババの信用スコアの恐ろしいところは、彼ら巨大ＩＴ企業が吸い寄せた情報が、すべて中国政府に筒抜けになっていることである。

情報収集を隠さない

二〇二一年一月、中国がアント・グループだけでなく、スマホ決済サービスやメッセージアプリなどを提供している大手ＩＴ企業テンセント（騰訊）、ＥＣ大手のJD.com（京東商城）に対しても、ユーザーの信用データを提供するよう求めたことが報じられた。それらのデータは国営銀行などが共有することになるという。

また、中国は国内に存在している外国の企業も含め、企業にスコアをつける信用システムを二〇二〇年末までに完成させると発表した。

なかでも危険性を特に指摘しておきたいのは、テンセントの運営する中国の無料メッセージアプリである「WeChat」だ。このアプリは、iPhoneやアンドロイド携帯を通じて日本など世界で使用できるが、WeChatで行われるやり取りや画像、動画のデータは、中国当局の要請に従って監視や検閲ができるよう、暗号化されない状態で特定のサーバーに保存されているのだ。つまり、このアプリを使用するかぎり、プライバシーはすべて中国政府に握られるといってよい。

これを他の無料メッセージアプリサービスと比較してみると、日本でもっとも利用者の多い「ＬＩＮＥ」や世界で広く使われている「WhatsApp」では、エンド・ツー・エンド

（通信を行う利用者同士という意味）の暗号化がなされている。アプリを提供している企業ですら、個人同士のやり取りの中身は見ることができないようになっているのだ。プライバシー保護の観点からいえば当然のことであり、この暗号化をしていない中国企業のサービスにおける個人情報のセキュリティには疑問が残る（LINEのセキュリティ上の問題点は後述する）。

また、We Chatほか中国のアプリでは、「ダライ・ラマ」「天安門事件」などの中国政府に都合の悪い単語に関して使用ができなくなっている。だからこそアメリカをはじめとする諸国は、中国のIT企業への警戒を強めているのである。

中国ではそもそも政府の監視が強いことから、プライバシー意識は低い。そのためアリババなどが個人情報を大々的に集めていても、国内では反対運動などが起きることはなく、データはどんどん集積されていくのだ。

問題なのは中国企業が入手した中国以外の国の利用者情報も、中国政府の手に渡ってしまうことだ。一帯一路とデジタル・シルクロードによって、中華ECなどが世界に広がれば、中国の「常識」がそのまま他国の人々にも適用されることになる。

中国政府は、世界各地の利用者の個人データを根こそぎ見たり、集めたりすることが可能になり、人々の言動を監視できるだけでなく、考え方などのコントロールをも可能にする危険性は高まるだろう。

ここで思い出しておきたいのは、二〇二二年北京冬季オリンピック・パラリンピックに参加した選手が自身のスマホにダウンロードすることを義務づけられた「ＭＹ２０２２」というアプリだ。このアプリは、新型コロナ対策を名目に毎日、体温や体調などを登録することになっていた。

ところが、カナダのトロント大学の研究チームは、情報の抜き取りや監視など、この中国製アプリを入れることの危険性を指摘した。各国の選手団もその警告に基づいて対策を講じた。

オランダのオリンピック委員会は、代表選手らに「中国政府の監視によって個人情報が盗まれる可能性がある」とした上で、「自前のパソコンなどを中国に持ち込まないように」とアドバイスしている。また、イギリスのオリンピック委員会も「中国当局がアスリートのデバイスにスパイウェアを勝手にインストールする可能性がある」と発表している。

当初は、「問題ない」としていた日本も、各国の度重なる指摘に、パラリンピックに参加する選手や関係者には、このアプリ専用のスマホの貸与を徹底すると発表した。日本のスポーツ庁のＨＰには、「当該アプリを削除するよう徹底するとともに、選手本人の同意の上で専門家による携帯情報端末検査及び同検査結果に基づいたクレンジング（不審なアプリ削除、端末初期化、ウイルス対策ソフト導入等）を実施」すると対応が挙げられているが、遅きに失した感がある。

ちなみに、北京五輪のオリンピック村では特別に、中国国内で禁止されているツイッターやフェイスブックなどへのアクセスが可能だったが、これらも、中国当局による監視や、アカウント情報がリスト化された可能性を指摘する情報関係者は多い。

アリババを支配する中国政府

さらに近年、中国政府はより露骨にアリババグループなどを国家のコントロール下に置こうとする動きを示している。

それを強くうかがわせたのは、二〇二〇年一一月、アリババの創業者であるジャック・マーの消息が途絶えたという〝事件〟だ。その原因は、行方不明になる一カ月前の一〇月に行われたマーのスピーチにあったとされる。

上海で開催された金融フォーラムにおけるそのスピーチは、アントグループがＩＰＯ

（新規株式公開）を控えていたこともあって世界的にも注目されていた。マーはそこで、中国政府は金融分野の厳しい規制によって技術の進化を妨害していると発言した。さらに政府批判を繰り広げ、国有銀行のことを「質屋のようだ」と叩いた。

報道によると、そのスピーチの内容を知った習近平国家主席をはじめ共産党幹部や国有銀行関係者らが激怒したとされる。習政権は、目前に迫ったアントグループの新規株式公開を中止させた。

その背景には米中対立も絡んでいるとみられている。マーがアメリカでビジネスを展開することに、中国政府は神経をとがらせていたのだ。そのきっかけは、二〇一七年一月に行われた大統領就任直前のトランプとマーの会談だった。当時、中国との対立を考えていなかったトランプはマーを歓迎し「すばらしい企業家だ」と絶賛した。このとき、マーは中国当局に事前通告なくこの面会を行ったとされ、共産党幹部の不信感を生む原因の一つになったともいわれている。

政権の逆鱗《げきりん》に触れたマーは「誰のおかげで大企業になれたと思っている。政府批判の言動は慎み、分をわきまえるべきだ」という当局の怒りを思い知らされただろう。

こうした顛末の後、二〇二一年一一月五日のロイター通信によれば、マーは、習近平に書簡を送り、「残りの人生を中国農村部の教育に捧げたい」と国家のために生きる約束をしたとされる。これが事実なら、まるで文化大革命時代の「自己批判」や「下放」を連想させるエピソードだ。これまでも中国政府はアリババをはじめとする企業の力が強くなると、強硬手段に出て自分たちの「権力」を見せつけようとしてきたからだ。出る杭を打って懲らしめることで、政府の意に逆らうことがないよう「警告」するのだ。

たとえば有名な投資家の肖建華は、二〇一七年に滞在先の香港で拉致され、その後、彼が支配していた企業は軒並み国有化された。同年、ニューヨークの名門ホテル「ウォルドーフ・アストリア」を買収したことで有名になった保険大手、安邦保険集団の呉小暉は逮捕され、のちに詐欺などの罪で、懲役一八年の実刑判決を受け約一八〇〇億円の個人資産を没収されている。二〇一八年には、チャイナ・エナジー（中国華信能源）の葉簡明が汚職容疑で拘束され、大手国有資産管理会社である中国華融資産管理の頼小民も二〇二一年一月に収賄罪などで死刑判決を受けている。

中国でビジネスを行うときには、この国が、経営者に瑕疵《かし》があると決めつけられると企業が国有化されたり、財産が没収されたりするなど、自由主義世界とはかけ離れたルールで動くことを忘れてはならない。

デジタル人民元

情報インフラ、ＥＣと並び、中国政府が力を注いでいるのがデジタル人民元だ。そこには単に人民元を電子通貨にするだけに留まらない、中国の壮大な野望が見えてくる。

二〇一四年、中国の中央銀行である中国人民銀行は、中国独自のデジタル通貨の発行を見据えて調査チームを立ち上げた。そして、その成果をもとに、二〇二〇年四月、中国国内（江蘇省蘇州市、広東省深圳市、河北省雄安新区、四川省成都市など）でデジタル人民元のテストを行うと発表した。試験的に運用が始まり、二〇二二年一月四日にはスマホ用アプリの配信が始まった。北京冬季五輪の期間中、会場などで広く使えるようにしたいという当初の目標に向け急ピッチで進められてきたのだ。

デジタル人民元は、仮想通貨で使われるブロックチェーン（分散型台帳）技術を導入したものだ。一方で、通貨の売買で価格が不安定に変動する仮想通貨と違い、デジタル人民元は、法定通貨である人民元に連動させる。そのため価格の安定したデジタル通貨となる。簡単に言うと、人民元がそのままの価値で「データ」に交換でき、スマホやネットなどデジタル環境で現金と同じように扱えるようになるというわけだ。

中国では「中央銀行デジタル通貨（CBDC）」と呼ばれ、中国の中央銀行である中国人民銀行が、他の銀行にデジタル人民元を発行し、そこを通じて企業や個人にわたるというシステムになっている。デジタル人民元は専用アプリ「人民元ウォレット（財布）」に入れられ、買い物などで支払いができる。ペイペイなどのスマホ決済サービスと同様だ。アリペイなどと同様に、単なる買い物だけでなく、公共料金の支払いからローン返済などにまで利用できるようになっている。

これは監視社会を強化したい中国当局にとって実に都合のいいシステムだ。これまで中国で問題になってきた偽札への対策だけでなく、何よりも脱税やマネーロンダリング、テロリストへの資金提供など、従来の人民元では阻止しきれなかった犯罪行為を取り締まることができるようになる。

さらに国民の監視という意味でも効果は絶大だ。デジタルで紐づけられた様々な取引情報などを吸い上げることができるので、人々のカネの流れから日々の活動まで徹底管理できるようにもなる。

アメリカの金融支配をくつがえす

ただここで疑問が湧く。アリペイなど普及したオンライン決済システムがすでに存在しているのに、なぜ中国政府はデジタル人民元を発行しようとしているのか。人民元がデジタル化されるだけなら、決済手段がひとつ増えたというだけに過ぎないとも思える。しかし、このデジタル人民元にこそ中国による壮大な野望があると筆者は見ている。

それは、世界におけるドル覇権を終わらせ、人民元を基軸通貨化するというものだ。基軸通貨とは、世界で中心的・支配的な役割を果たす通貨のことで、国際金融取引などで基準として採用されているものを指す。現在は米ドルやユーロがその役割を担っている。米ドルは米政府が動かしているから、国際通貨の動きはアメリカが握っているといえる。アメリカの経済政策が世界経済に大きな影響を与えている理由はそこにある。

現在、世界各国の外貨準備高を単純に比較すると、中国元はたったの二・六六%にすぎない。一方でライバルの米ドルは、世界全体の六〇%を占めているのだ。中国の行う貿易ですら、九〇%以上がドル建てで行われているという現実もある。中国政府はデジタル人民元によって、そこに楔《くさび》を打ち込む可能性を見出そうとしているのだ。

米大手シンクタンク、アトランティック・カウンシルの幹部でサヘル地域元米特使であるピーター・パムもかつて筆者にこんな話をしていた。

「中国は国際的な金融システムの中で、現在は強い立場にはない。国際的な支払いはほとんどがドルかユーロで行われているからだ。人民元を国際通貨化しようとしているが、それでも中国はまだまだドルへの依存が続く。中国政府が経済を政治的に完全に掌握し続ける限り、中国からニューヨークやロンドンのような世界的な金融センターが生まれるのは難しいだろう」

　中国がこうした現状を打破するためには、人民元の利用者を増やすことが手っ取り早い。そこで、一帯一路に参加し協力する数多くの国々や外国企業との取引に、デジタル人民元を使うことを促していくとみられる。決済に関してはデジタル人民元の使用を求めることができるからだ。

SWIFTを使わない新取引システム

　それだけではない。中国は世界の決済そのものの姿を変えてしまおうと考えている。現在、ビジネスや個人のほとんどの海外送金は、国際間の資金決済システムである「ＳＷＩＦＴ（スウィフト）」で行われている。

ＳＷＩＦＴの概要を簡単に説明すると、二〇〇の国と地域の一万を超える金融機関が利用している取引システムだ。本部はベルギーにあり、ベルギーの法律で運営されている。しかし、ＳＷＩＦＴはアメリカの影響力が圧倒的に強い。経済制裁の指定などにかかわるアメリカの元財務省職員に話を聞いた際には、「ＳＷＩＦＴを支配するアメリカが、世界のカネの流れを管理している」と自負していた。

　ＳＷＩＦＴを使わずに取引することは可能だが、そうなると手数料が高くなるなどマイナス面が多くなる。そのためアメリカとの取引がなくても、国際的な取引にはＳＷＩＦＴを利用することが一般的だ。要するに、世界のカネの流れを監視し、コントロールしているといっても過言ではないのである。

　このように強力な制裁装置を握っている国は、アメリカ以外には存在しない。

　二〇二二年二月、ロシアのプーチン大統領がウクライナを攻撃した際、西側諸国からの最大の制裁の一つとして速やかに実行されたのが、ＳＷＩＦＴからロシアの主要な金融機関を締め出すというものだった。これによって、ロシアは輸出の決済なども制限されてしまった。ロシアのルーブルの相場が暴落し、インフレが起きて、ものがなくなり、国内が疲弊する――。それが欧米側の目的である。実際に、ルーブルは一日で四〇％以上下落するなど、経済そのものに潰滅的な打撃をこうむった。

基軸通貨ドルを握り、ＳＷＩＦＴによる制裁をリードするアメリカ。中国はその現状をくつがえしたいと考えているのだ。

では、中国はどのような手を打ってきているのか見ていこう。その一つが二〇一五年に立ち上げた、中国人民銀行がかかわる人民元の国際銀行間決済システム（ＣＩＰＳ）だ。

二〇一九年の「日経新聞」の調査では、世界八九の国と地域の八六五の銀行が参加している。参加する銀行の数では、なんと日本が一位で、ロシアがそれに続いている。一帯一路に参加しているアフリカの国々などもこのシステムを使ってビジネスをしているが、現在の決済額は日に約一九〇億ドルで、大したものではない。ちなみにＳＷＩＦＴがドル建てで取り扱うのは日に六兆ドルほどだ。

しかし、このＣＩＰＳが広まると、これまで記したような国際的な金融制裁が不可能になる。デジタル人民元の決済の流れを、欧米や国連側がチェックすることは不可能だからだ。今回のウクライナ侵攻のようなケースでも、ＳＷＩＦＴでの制裁を恐れずに済むのである。

5Gとアメリカ

ここまで、ファーウェイ、ハイクビジョン、アリババのデジタル三社から、中国の野望について考えてみた。では、その脅威にアメリカはどのような対策をしているのだろうか。

筆者は、二〇一八年、アメリカ政府が国家安全保障会議（NSC）で使うためにまとめた文書を入手したが、そこには同政府が5Gをめぐる中国との主導権争いをどれほど重視しているのかが記されている。その一部を拙訳で紹介しよう。

「5Gは、単純に現在の4Gより速い速度の通信、ということではない。この次世代の通信技術は、アメリカが世界中の競合から一歩抜きん出ることを可能にし、アメリカ国民に安全で信頼できるインフラを提供することになる」

「5Gの時代、これはチャンスなのである。このチャンスを手にしなければ、中国が政治や経済、そして軍事でも勝利することになるのだ」

「アメリカ政府は官民による協力で、現在あるテクノロジーを駆使して、数年内にこの5G時代のチャンスを我がものとしなければならない。そのために、強力なリーダーシップが必要となる」

「アメリカは今、崖っぷちにある。情報化時代の未来を率いるのか、さもないと、サイバー攻撃の渦から抜け出せなくなるのである」

　しかし残念ながら、アメリカがどれだけファーウェイの排除を世界に訴えても、なかなか実効性はあがらない。最大の理由は、アメリカが5Gでファーウェイに代わる製品を提示できないことだ。なぜか日本ではあまり指摘されないが、5Gの通信機器などを製造できるメーカーがアメリカには存在しない。ファーウェイのライバルになるのは、エリクソン（スウェーデン）、ノキア（フィンランド）、サムスン（韓国）などで、現在のアメリカは、通信機器に関しては最先端国家ではないのだ。

　そのため、米情報関係者は以前「米政府がサムスンの機器にお墨付きを与えて代替製品とすることになる」と打ち明けてくれた。

　5Gのシェア争いで、問題になるのはコスト面だ。中国政府から莫大な補助金を受け取っているファーウェイは価格を安く設定し、製品を途上国にばらまくことができる。しかし、欧米のメーカーなどはそれができない。結果として、途上国など貧しい国はファーウェイ以外に選択肢がなくなるという事情がある。

　かつて技術大国といわれたアメリカや日本が、5G通信のインフラ製品を開発するのに遅れを取ったのは否めない。すでに6G時代の到来は予見されており、中国も開発を始めているが、アメリカも日本企業を巻き込んで開発に乗り出すようだ。次世代の６Ｇ戦線での戦いは始まったばかりだろう。

世界最大の盗聴大国

ここまで中国のデジタル覇権戦略について述べてきたが、実はトータルでみると、この分野でも米中の差はまだまだ大きい。依然としてアメリカこそが世界最大最強のデジタル覇権国であり、中国はその戦略を模倣して、対抗しようとしているチャレンジャーなのだ。

本書ではファーウェイやハイクビジョンの「盗聴」や「監視」を指摘してきたが、それと全く同じことを世界規模で行ってきたのがアメリカだ。その内容の一端を世界に明らかにしたのが、先に述べたいわゆるスノーデン文書である。

スノーデン文書のなかで最も世界を揺るがしたのが、光ファイバーの海底ケーブルからの諜報に関するものだった。

あまりに日常的であるために、インターネットがどのように世界と繋がっているのか意外と知らない人も多い。現在のインターネット通信は、そのほとんどが、衛星などは使わずに、光ファイバーのケーブルで「物理的に」繋がっている。それは大陸間も同じで、世界の五大陸をつなぐのにケーブルが海の底に敷設されている。日米間であれば、アメリカ西海岸のワシントン州から太平洋の海底を通って茨城県まで、カリフォルニア州から三重県までと、複数のケーブルが敷かれている。

日本が誇る海底ケーブルのメーカーであるNECは、公式サイトでその技術についてこう記す。

「光海底ケーブル通信システムは、深海8000mの水圧に耐え、1万km以上の伝送が可能です。通信容量が非常に大きく、遅延も少ないため、現在では衛星通信に代わり国際通信の99%を光海底ケーブルが担っています。これら海底機器は、深海で25年もの長期間にわたり、正常に稼働し続けることが絶対条件となっています」

海底ケーブルはインターネットのトラフィックのほとんどを運び、日に一〇兆ドルの金融取引が海底ケーブルを通して行われている。海底ケーブルは、私たちの生活を支えるものであり、ガスや石油などのパイプラインと同じような重要インフラだ。

スノーデン文書によると、その海底ケーブルが直面する最大のリスクが、アメリカによるデータ傍受だった。スノーデンが明らかにした、アメリカの監視工作は「アップストリーム」というプログラム名で呼ばれるものだ。海底ケーブルがちょうど陸の光ケーブルとつながる部分（IXポイントと呼ばれる）に機器を仕掛け、データを大量に抜き取るものだった。説明すると単純な方法だが、効果は圧倒的だった。

海外からのすべてのデータをアメリカの光ケーブルを介して受け取っていたブラジルは、国と民間とを問わずほとんどのデータがアメリカに監視されている状態だったことが判明した。ブラジルは公然とアメリカを非難し、アメリカを経由しない独自の海底ケーブルの敷設を発表した。ブラジルからポルトガルなどを結ぶこの海底ケーブルは、二〇二一年六月に開通している。

スノーデンの暴露によって、各国の政府が光ケーブルのリスクをはっきりと認識した。その懸念は政府だけでなく、インターネットでビジネスを行っているIT企業も抱くようになる。大手IT企業のグーグルやフェイスブックは、自前の海底ケーブルを敷設し、政府や自然災害などの影響を受けないよう対策を行っている。

ファーウェイの海底ケーブル

ここでも中国はアメリカを模倣している。独自の光ファイバーケーブルの設置に乗り出してきたのだ。一帯一路、デジタル・シルクロードの重要な目標のひとつにも、通信インフラの整備としての光ファイバーケーブルの設置を掲げている。中国主導で行われる設置事業では、ファーウェイなど中国企業の製品が導入されるが、同社は海底ケーブルにも力を入れていた。二〇〇八年、イギリスの会社と合弁で専門のファーウェイ・マリーン社を作り、アフリカやアジアを中心とした各地でケーブル敷設を行なってきた。同社はすでに欧州からアフリカ、南米など世界九〇カ所で、五万キロ以上の海底ケーブルを敷設している。すでに世界のあちこちに中国の手が及んでいるのだ。

ところが、他の技術と同様に近年、ファーウェイ製品ということで、安全保障面で問題があるとして風当たりが強くなった。実際、使用を禁止した国もある。たとえば、オーストラリア政府は、二〇一八年、同国とソロモン諸島を結ぶケーブル敷設事業でファーウェイ・マリーンを工事担当から外した。二〇一六年にソロモン諸島側の意向でファーウェイ・マリーンと契約していたが、同国のスパイ組織トップが直々にその契約を破棄するよう求めたことでその対応となったのだ。

近年、中国との敵対姿勢を鮮明にしているオーストラリアは、安全保障に関連してアメリカなどとも緊密な関係を築いており、中国の脅威について敏感になっている。そのため、厳しい対応となったようだ。

各国での製品の排除とスパイ疑惑を受けて、ついにファーウェイは二〇一九年六月、ファーウェイ・マリーンを手放すことにした。所有する株式のすべてである五一％を別の企業に売却すると明らかにしたのだ。この海底ケーブル事業は、ファーウェイの創業者である任正非が力を入れていた分野だったが、トランプ大統領がファーウェイを強引に排除し始めたことで、その信頼度に傷がつき国際的なビジネスに影響が及んでいるために手放さざるを得なくなったのである。

しかし、その売却先はやはり中国政府の息のかかった企業だった。中国政府と繋がりが深いとされる江蘇省に本社を置く光ファイバーなどのメーカー、ヘントン（江蘇亨通光電）に売却したのだ。社名をファーウェイ・マリーンからＨＭＮテクノロジーズと変更したが、引き続きアメリカ政府は警戒を続けている。

台湾外交部の報道官であるジョアン・オウは二〇二〇年一二月に米誌「ニューズウィーク」にこう語っている。

「中国の最大の目的は、太平洋地域の情報と通信ネットワークを独占することだ。中国の戦略的なゴールは、地域の関係国の重要インフラをコントロールし、すべての国を監視するためのビッグデータを獲得し、情報を盗むことである」

筆者が通信社時代に知り合った、あるオーストラリアの政府関係者に取材をしたところ、こう述べていたのが印象に残っている。

「中国が一帯一路の国々のために海底や陸上ケーブルを敷いて、そうした国々のデジタルネットワークを掌握しようとしているのは事実。中国を中心とする一帯一路の国々とインターネットやデジタル通信政策などで中国と協力関係を強めているロシアなどが、アメリカを中心とした西側諸国と完全に分断される『サイバー冷戦』が、そう遠くない未来に起きるだろう」

5G、監視カメラ、AI、デジタル決済システム、そして海底ケーブルなどの通信インフラ。デジタル覇権は、米中サイバー経済戦争の最前線といえる。

第四章　中国に騙されたトランプ

ドナルド・トランプの登場

トランプ大統領の四年間で、国内外で引き起こした混乱のマイナスは小さいものではないだろう。しかし、対中政策に限って言えば、中国への対応に出遅れたアメリカが、起死回生の挽回をするには、トランプのような存在が必要だったと筆者は考えている。敢えて言うならば、トランプの反中政策は「正しかった」のだ。

ここまで見てきたように、中国はすでに世界第二位の経済大国となっているにもかかわらず、サイバー攻撃やスパイ行為をやめようとしない。中国は、もはやアメリカの「ビジネスパートナー」や「よき競争相手」といえないのではないか？　そのようなことをアメリカの中枢が考え始めた時期に、トランプは対中政策の大転換を行ったのだ。

ここで米中関係の歴史を簡単に振り返っておこう。野心に満ちた中国がまず経済、そして外交や安全保障でも存在感と影響力を増すなかで、歴代のアメリカ大統領は巨大市場である中国の顔色をうかがい続けた。それがますます中国を増長させることになった。

そもそも中国の台頭を許すことになった最初のきっかけは、一九七二年のリチャード・ニクソン米大統領（共和党）による訪中であった。それまで、両国は自由主義陣営と共産主義陣営の冷戦を背景に相容れない存在だった。しかし、中国とソ連の関係が悪化していたことを受け、ヘンリー・キッシンジャー大統領補佐官を極秘に中国入りさせて、米中の和解を進めた。ソ連への対抗策として、共産主義陣営の大国を自分たちのテリトリーに入れようと目論んだのだ。その総仕上げとしてニクソンが自ら中国を電撃訪問。毛沢東と面会し、中国との〝冷戦〟関係を終結させた。

そして、毛沢東の死後、中国は鄧小平によって改革開放路線へと突き進むことになる。アメリカの筋書き通りに話が進んだのだ。

次の米中関係の転機は、一九九九年にビル・クリントン政権（民主党）による中国の世界貿易機関（ＷＴＯ）加盟の容認だった。その際、アメリカは、中国が市場経済を受け入れることで、開かれた民主主義的な国になっていくと期待していた。アメリカは自由主義社会のリーダーとして、途上国である中国の発展に手を差し伸べ協力姿勢を示したのだ。

そのアプローチは、ジョージ・W・ブッシュ政権（共和党）になっても続いた。中国経済の成長が著しかった二〇〇六年、ブッシュ政権は当時の胡錦濤国家主席と「ストラテジック・ダイアログ（戦略的対話）」で合意している。アメリカは経済的に台頭し始めた中国に対して、経済分野を中心に、これまで以上に世界を視野に国際社会の一員として自覚を持つよう促した。この流れは、バラク・オバマ政権（民主党）も継承し、アジアに軸を移すリバランス政策として中国の存在を見据えた。

日本もまた、一九七二年の日中国交正常化から経済協力などが活発になったが、一九八〇年代には歴史問題や中国におけるナショナリズムの高まりなどによって、関係性は不安定化した。その後の尖閣諸島をめぐる問題などによって、両国関係は緊張を孕《はら》んだものになっていったが、基本的にはアメリカと同様に、中国との経済的つながりを強めていったのである。

中国の「宣戦布告」

しかし、二〇一〇年代に入ると、そのような宥和《ゆうわ》的な流れは一変する。そのはじまりは、二〇一二年の習近平政権の誕生だった。

アメリカは当初、習政権がこれまでと同様に、中国共産党の社会主義を維持しつつ市場経済を導入する「市場社会主義」を推し進めるのだろうと考えていた。中国を「敵国」ではなく、ビジネスパートナーとみなして、経済の拡大だけでなく政治的な開放までも期待していた。つまり、自分たちの影響下で中国はコントロールできると考えていたのである。

その期待に痛撃を与えたのが、二〇一三年に習近平国家主席の提唱した「一帯一路」構想と、二〇一五年にぶちあげた「中国製造2025」だった。この二つが、ともに中国によるアメリカ覇権への宣戦布告ともいえる内容であったことは、前の章で述べたとおりである。

ここにきて、やっとアメリカは中国の野心をはっきりと認識した。ここに至るまでのアメリカの対応の「遅れ」が、中国の強国化に一役買ったことは間違いない。

「中国製造2025」と時を同じくして、中国は南シナ海のスプラトリー諸島（南沙諸島）で大規模に人工島を建設するなどの「侵略」を行うようになった。二〇一五年九月の訪米の際に、習近平国家主席はホワイトハウスのローズガーデンの記者会見で「中国はスプラトリー諸島を軍事化する意図はない」と公に約束したが、それを守るつもりなどさらさらなく、ミサイルが配備されたとの指摘もある。経済や科学技術だけでなく、領土、安全保障の領域でも、中国は隠してきた「牙」を露わにするようになったのだ。

　当時のオバマ政権は、この頃になってやっと、高まる中国の影響力に楔を打つことも視野に、環太平洋パートナーシップ（TPP）協定の締結交渉などアジア太平洋地域で存在感を示し、アメリカ中心の秩序を改めて確立しようとした。しかし、オバマには残された時間はなかった。そこに登場したのが、トランプだった。

ロシア・ゲート

　トランプはさまざまな意味で「異色」の大統領だったといえるが、インテリジェンスの側面で考えれば、彼ほど就任以前から退陣に至るまで、CIA、FBIなどの情報機関とのトラブルが続いた大統領も珍しい。その象徴が「ロシア・ゲート」だ。

　少し長くなるが、トランプとロシアの関係は、その後も注目されることになるので、簡単に振り返ってみよう。一九八〇年代から九〇年代に不動産で財を成したトランプは、一九九一年にソ連が崩壊し新生ロシアが誕生するとロシアビジネスにのめり込んでいく。モスクワに「トランプ・タワー」の建設計画を発表するなど、資本主義化したロシアは、トランプの「ディール」の格好の舞台となったのだ。

二〇〇八年夏ごろ、トランプは経営の失敗で資金がショートし、所有している不動産の売却先を探していたが、アメリカでは買い手がつかなかった。ところが、ロシアのオリガルヒ（新興財閥）が、トランプの購入価格の二倍で買い取ることになる。同年秋には、リーマン・ショックが起きたため、トランプは窮地に追い込まれるが、そこでも、ロシアからの金が流れ込んだとされる。

二〇一六年のアメリカ大統領選挙では、泡沫候補と思われた共和党のトランプと、民主党のヒラリー・クリントンの戦いとなった。プーチンにとって、オバマ政権の国務長官で自身を「ヒトラー」呼ばわりし敵視するヒラリーよりも、「プーチンは、ロシアを再構築している」「ＮＡＴＯが攻撃されたら、否でも応でも助ける必要があるのか？」などと発言するトランプのほうが、好ましい大統領になることは明らかだった。

ロシアはトランプを大統領にするため二つの攻撃を行った。まずは、サイバー攻撃による「盗み」である。もう一つは、「世論工作」だ。

まずは、「盗み」から紹介しよう。

二〇一五年九月までに多くの米民主党関係者がフィッシングメールを受け取った。このメールに反応し、パスワードなどを入れてしまうと、アカウントそのものが乗っ取られてしまうという典型的なサイバー攻撃の手法だ。FBIはロシアのハッカー集団を監視していたオランダの情報機関（AIVD）からの情報提供により、民主党に連絡した。しかし、なぜか民主党はFBIからの警告を放置した。

そのため、民主党関係者の一〇〇人以上が、ハッキングの被害にあった。中にはヒラリーの選挙対策責任者のジョン・ポデスタが含まれていた。彼は、フィッシングメールにパスワードを入れてしまったため、民主党内の文書や五万通のメールが流出してしまったのだ。

メールには、大手金融機関幹部に対して、「政治的配慮」をすると発言した講演会の内容（当時ヒラリーは、金持ち優遇政策を行うと批判されていた）や、タウンミーティングの際にサクラを用意して事前に質問をすり合わせていたとする内容などが含まれていた。

メールや文書は、告発サイト「ウィキリークス」に載せられ、メディアが報じた。「自分は庶民の味方、ヒラリーは金持ちの味方」という立ち位置で選挙戦を戦っていたトランプには好都合な流出だった。

この攻撃を行ったハッカー集団は、「ザ・デュークス」と呼ばれるグループであることが分かっている。このサイバー攻撃集団は、二〇一五年前後に欧州で数々のサイバー事件を起こしたため、ＥＵによる徹底調査が行われていた。その背後には、ＦＳＢ（ロシア連邦保安庁）、ＧＲＵ（ロシア連邦軍参謀本部情報総局）がいて、「ロシアのハッカーたちにサイバー攻撃を依頼している」（欧州外交評議会の報告）という。

民主党は独自にサイバーセキュリティ企業のクラウドストライクに調査を依頼し、サイバー攻撃がロシアによるものと報告を受けた。また、事件後にアメリカ政府も、犯人がロシアのハッカーであることと、プーチンの指示があったことを指摘している。

このロシアによるハッキング以前にも、ヒラリーは、別のメール問題を抱えていた。国務長官時代に、情報漏洩防止のために公務では使用を禁じられている私的メールアドレスに、機密情報を転送していたのだ。ここから情報が流出している可能性もある。ヒラリーは、都合の悪い転送メールを慌てて削除したとされ、ＦＢＩによる捜査の対象となっていたのだ。

トランプは次々と公開されるヒラリー陣営の失態を喜んだ。ハッカーに対して、「ヒラリーが削除したメールを暴露して欲しい」とすら発言している。そして、トランプ陣営は、「ヒラリーを監獄にぶち込め」という合言葉すら叫ぶようになったのである。

ロシアの作った偽アカウント

ハッキングとともにロシアが行ったのは、偽アカウントによるプロパガンダ工作だった。この工作を行った組織は複数あるが、代表的なのは、ロシアのサンクトペテルブルクを拠点とする「インターネット・リサーチ・エージェンシー（ＩＲＡ）」だ。アメリカ政府はこの組織が、プーチンに近い実業家エフゲニー・プリゴジンの資金援助を受けていたことや、ロシアの情報機関とつながっていることを認定している。

ロシア政府の命令によって、ＩＲＡは、フェイスブックやツイッターで偽アカウントを作成した。そして、先に記したクリントン陣営の失態に関するニュースを拡散したり、トランプを礼賛するコメントを広めたりした。また、「ヒラリーはイスラム法を支持している」などのフェイク情報を拡散した。ロシアが作ったフェイスブックアカウントの一つ「ビーイング・ペイトリオテック（愛国的に）」では、実際にトランプ支持者を集めてフロリダで政治集会を行っている。逆にヒラリー陣営と称して、イスラム系の政治集会を企画することもあったという。

フェイスブックの運営会社は、二〇一七年九月に、大統領選挙の工作に関するレポートを発表している。それによると、ロシア政府の関与したとみられる政治広告が、三〇〇〇件以上あったという。

ＣＩＡやＦＢＩなどから報告を受けた当時のオバマ大統領は、二〇一六年九月、中国で開催されたＧ20の席で、プーチンに詰め寄った。オバマは、「何をしているのかわかっている。止めないとどうなってもしらないぞ」とプーチンに言い放った。

プーチンは、「証拠を出せ」と反論し、アメリカこそロシアの内政に干渉している、と批判した。

元ＣＩＡ長官のトランプ批判

こうした中で、ＦＢＩはトランプ陣営に注目した。ロシアの不正な介入にトランプ陣営が共謀していたのではないか、とする疑惑だ。

オバマ大統領はこの件を重くみて二〇一六年一二月に、アメリカ大統領選挙への工作を行ったとして、ロシアの外交官を国外追放した。

二〇一七年二月、トランプの側近だったマイケル・フリン大統領補佐官（国家安全保障担当）が、就任する前にロシア側と、クリミア半島併合以後続く制裁に関する協議を行ったことが問題となり、辞任する。これによってトランプはロシアと「共謀」して、大統領選挙を自分に有利になるようにしたのではないかという疑惑の信憑性が高まった。

すると同年、五月、トランプは、このロシアとの「共謀疑惑」の捜査を担当するＦＢＩのジェームズ・コミー長官を解任してしまう。その理由を「いい仕事をしなかったため」とトランプはコメントしている。これによって、情報機関とトランプの関係は最悪なものとなった。

トランプはコミーや元ＣＩＡ長官のジョン・ブレナンを「嘘つき」などと罵った。一方で、ブレナンたちもトランプを「マフィアのボス」「大統領として道徳的に不適格だ」と批判した。

トランプは、二〇一八年に行われたプーチンとの会談で、選挙へのサイバー攻撃について触れた。当然、プーチンはロシアによる攻撃を否定した。それを受けて、トランプは会談後の会見で「我が国の情報機関を強く信じています。それでも本日、プーチン大統領による否定の言葉は何より力強く、説得力がありました」と語った（『ジョン・ボルトン回顧録』）。

これに対しブレナンは、「トランプは愚かで、プーチンに操られている」と批判した。その後も情報機関の元幹部たちは、批判の声を上げ続けた。トランプはこれに激怒し、ブレナンの情報機関の元幹部だけに特別許される機密情報へのアクセス権を剝奪している。

二〇一九年三月、トランプに任命されたウィリアム・バー司法長官は、「ロシア・ゲートに関して、トランプ大統領が共謀した事実はない」と発表し、コミーＦＢＩ長官を解任するなどの司法妨害については、結論を下さなかった。

トランプとウクライナ

こうしてロシア・ゲートは、バー司法長官の発表で幕を閉じたが、その後、話は思わぬ方向に展開する。

当時、アメリカでは、「二〇一六年の大統領選挙に介入した真犯人はロシアではなく、民主党と協力したウクライナのハッカーである」という陰謀論がささやかれていた。ロシアとの関係を壊したくなかったトランプは、この陰謀論を積極的に支持するようになる。トランプは大統領選挙が「民主党とウクライナの介入」で混乱したということになれば、これまでのロシア・ゲートがすべてでっちあげで、自分は被害者だったと証明できる、と考えたのだ。

トランプは、ウクライナを批判し、「ウクライナなんかと関わりたくない」「ウクライナは私を陥れようとした」と側近たちに繰り返し語ったという（『ジョン・ボルトン回顧録』）。

そして、二〇一四年のロシアによるクリミア半島併合以降、手厚く提供されてきたウクライナへの援助にも、トランプは言及するようになる。当時、議会の承認を得て二億五〇〇〇万ドルの援助の手続きが進められていたがボルトンによると、その援助についてトランプは、「ジョン、君はこれを承認したのか？」「馬鹿げた話じゃないか？」と批判し支援を保留したという。

二〇一九年七月二五日、就任したばかりのウクライナのゼレンスキー大統領との電話会談では、次のような会話があったとされる（ホワイトハウスが公開した通話記録と『ジョン・ボルトン回顧録』を参考にした）。

トランプは、まず「我々はウクライナのためにたくさんのことをしている」とこれまでのウクライナへの軍事支援について語った。ゼレンスキーは、支援への感謝と「ジャベリン（対戦車ミサイル）をもっと買いたい」と応じた。

その後、トランプは、「あなたにお願いがある」と次の二つの調査を頼んだという。

・ウクライナにあるとされるクラウドストライク（民主党のメール流出を調査した会社）

のサーバー

・民主党のバイデン大統領候補の息子でウクライナのガス会社幹部の不正

トランプは、「バイデンが（息子の）捜査を止めさせたなどといった、うわさがたくさんある。みな何があったのか知りたがっている。アメリカの司法長官と何らかの協力をしてくれるとありがたい」と語った。

ゼレンスキーは、それを了承したという。

八月になってもトランプは、「捜査資料がすべて引き渡されない限り、ウクライナには何も提供したくない」（『ジョン・ボルトン回顧録』）と答えていたが、マイク・ペンス副大統領やボルトンたちの説得で、九月になって支援金の拠出を認めた。

この件が公になると、「トランプ大統領は、自らの選挙のためにウクライナへの援助を止めて圧力をかけた」と批判された。二〇二〇年二月、弾劾裁判で権力乱用と議会妨害の二つの訴追条項についての投票が行われたが、与党共和党の多数が反対し、無罪評決となった。

トランプは、「でっち上げの弾劾訴追に対する我が国の勝利だ」とツイッターに書き込んだ。

トランプ政権の外交ブレーン

ロシア、ウクライナとの大きな疑惑で国内を揺らしたトランプだが、中国とも二〇一七年の政権発足前から波乱を起こした。大統領に当選直後、「どうして中国の主張する『一つの中国』政策に縛られないといけないのか」と発言し、習近平を激怒させたのだ。いうまでもないことだが、中国は大陸にある中華人民共和国だけが唯一の中国の政権であり（一つの中国）、台湾はその一部であると主張している。

さらには、トランプは台湾の蔡英文総統からかかってきた電話に直接応対し、大統領選勝利の祝辞を受けたのである。「電話に出るか出ないかを決めるのは中国ではない」とかねて主張してきたトランプらしい行動だった。

当時、東アジアを担当していた米大手紙の記者は、「（激怒した）習近平はこの出来事について、しつこくトランプ政権側に不快感を伝えました。最終的にはトランプが二〇一七年二月の夜中に習近平の電話を受け、習の要望通りに『一つの中国』を受け入れると約束した。それが、二〇一七年四月の最初の米中首脳会談につながったのです」と話す。夜中、つまり中国時間に合わせた電話会談をすることで、アメリカが中国に譲った形をとったのだ。

ここからわかるのは、トランプ本人は台湾と中国の関係をまったく理解していなかったことだ。トランプは、ビジネスの交渉の延長としてしか、対中政策を考えていなかった。

そもそもトランプ政権において外交についてアドバイスする側近たちの構成も混乱したものといえた。選挙戦でトランプの周りを固めていたのは、それまで表に出ることがなかった対中強硬派たちだった。政治ニュースサイト運営者（当時）のスティーブ・バノンは、首席戦略官として政権初期に〝活躍〟した。バノンは「有史以来、一番、野心を持って拡張主義に走っている」と中国共産党を批判してきた。

他にも選挙戦の間に経済政策でトランプにアドバイスをしていたピーター・ナバロ（後に、通商担当の大統領補佐官）や、スピーチライターだったスティーブン・ミラー（後に、政策担当の大統領補佐官）が、トランプの中国政策を動かそうと試みたし、強硬路線を取らせようとチャンスを窺っていた。

当選後に陣営に加わったジョン・ボルトンは、ジョージ・W・ブッシュ政権で、国連大使や国務次官を務め、中国やロシア、北朝鮮などに強気で臨むタカ派として知られる。

また元新聞記者で海兵隊出身のマット・ポッティンガー（後に、国家安全保障担当の大統領副補佐官）も、四〇代と若いながら、トランプ政権の対中政策に加わっている。対中政策でタカ派であるポッティンガーの考え方は基本的に、第二次大戦以降のアジアの安定はアメリカの覇権によって維持されてきたが、アメリカの存在感を排除しようとする中国の台頭がその安定を脅かしている、というものだった。彼は習近平が、経済成長しながらITやデジタル分野を軸に世界の覇権を狙っていることもはっきりと認識していた。

その一方で、トランプは、対中融和派の巨頭にもアドバイスを求めていた。それが、五〇年近く前に中国との国交正常化への道を開いたヘンリー・キッシンジャー元大統領補佐官だ。キッシンジャーは、ニクソン以降のすべての大統領に対中政策のアドバイスをしてきた。彼は長年中国と個人的にビジネス関係を築いてきた人物で、中国にとっても好ましい存在だった。中国の民主化運動弾圧として知られる一九八九年の天安門事件について、制裁を科したアメリカ政府を批判したこともある。

彼を信頼したトランプは、選挙に勝利した直後の二〇一六年一二月に九〇歳を超えたキッシンジャーを中国に送り込んだ。

ところがまさにそのキッシンジャーの訪中の間に、トランプは先の「台湾総統祝辞電話事件」を起こしてしまったのである。

この一件は、トランプ政権の「動きが予想できないリスク」が垣間見られる動きであった。前出の記者も当時「これから何が起きるのか怖い」と述べていたくらいだ。

ピルズベリーと中国融和政策

このとき激怒する中国との間を取りなしたとされるブレーンが、中国専門家として知られる政治学者のマイケル・ピルズベリーだ。ピルズベリーは、日本でも話題になった著作『China 2049　秘密裏に遂行される「世界覇権１００年戦略」』（日経ＢＰ）で知られる。

ピルズベリーは、もともと「アメリカと中国は軍事的にも近づく必要がある」と考える親中派で、一九七〇年代から国務省や国防総省で活躍し、対中関係の最前線にいた。

ところが一九九〇年代には、ＣＩＡなどとの協力のもと中国の戦略について調査研究を行い中国脅威論に「転向」する。その成果が、中国は二〇四九年に経済・軍事・政治でアメリカを凌駕する野心を持っていると記した『China 2049』につながった。

しかし、ピルズベリーが完全な「反中派」かといえば、そうではない。筆者はトランプ政権誕生の前に、ピルズベリーに直接、取材をしたことがある。その時に彼は中国の戦略をこう語った。

「中国は美徳（中国の価値観）で世界をリードしたいと考えている。中国は超大国としてアメリカを超えようとしており、アメリカから覇権国の地位を奪って現在とは違う世界を作ろうとしている」

それはどのような国なのか？

「漢や唐の王朝時代のように復活しようとしている。当時、中国は世界のリーダーだった。『唐王朝の時代に復活する』と言われると中国は喜ぶのです」

さらにピルズベリーによる次の言葉は非常に印象的であった。

「中国国内にいる改革派を密かにでも支援して改革を促さなくては、中国はタカ派が支配することになる」

ピルズベリーの言葉からは、まだアメリカが中国をコントロールできるチャンスがあると考えていると感じた。

トランプは彼の主張や中国での人脈を絶賛し、政権に加えようとした。しかし、セキュリティクリアランス（機密情報にアクセスするための身辺調査）がクリアできずに見送られている。中国には既知の関係者が多く、政権発足前から何度も中国を訪問して米中の間に立ち、対中政策でアドバイスをしていた。前述の台湾総統からの電話にトランプが応じたことを根に持っていた習近平に対して、水面下でトランプとの接触を持たせようと動いたのもピルズベリーだったという。

そして先述の電話会談のあと、四月に、習近平はアメリカを訪問し、トランプが所有するフロリダの別荘などで会談を行うことになる。同年一一月にトランプが中国を訪問し、蜜月関係をアピールした。

習近平とトランプの蜜月

トランプはスピーチでは中国への強硬姿勢が目立ち、「アメリカは対中包囲網を強化している」と報じられることが多かったが、本人は最終的に習近平と直接的な「ディール」ができると考えていた。

しかし、それは習近平も同様だった。一連の経緯によって習近平は、トランプは個人的に直接「お願い」をすればある程度は折れてくれる与《くみ》しやすい相手と理解したという。

その「ディール」の最たる例が、中国政府系の通信機器大手ＺＴＥの扱いだ。スマートフォンが主力商品でアメリカでも好評だった同社は、二〇一二年にはすでに、アメリカに対してスパイ行為やサイバー攻撃を行うリスクがあるとされていた。安全保障の脅威であると米議会でも認識されて、政府調達から外されていたのだ。その後も、罰金を支払わされるなど米政府からは制裁措置がなされてきたが、二〇一七年にはさらにイランや北朝鮮への制裁に違反をしていたことが政権内部で取り沙汰され、結果的にアメリカ市場から締め出されることになった。すると、習近平が個人的にトランプに制裁解除の「お願い」をしてきた。その結果、約一二億ドル（約一三〇〇億円）の罰金や、米政府の選んだ「コンプライアンスチーム」の一〇年間にわたる受け入れなどを条件に、制裁は解除されたのである。

　この事実に対して、米サイバーセキュリティ界隈《かいわい》や安全保障関係者の間で反発の声が上がった。

　トランプと同じ共和党の有力上院議員であるマルコ・ルビオは、「ＺＴＥは廃業させるべきだ。中国政府と共産党がスパイ工作に利用してわれわれから知的財産を盗むような、政府が指揮する企業との『合意』などあってはいけない」と辛辣《しんらつ》に言い放っている。

　ファーウェイに関しても同様の「お願い」があったとしているのは、大統領補佐官だったジョン・ボルトンだ。『ジョン・ボルトン回顧録』によると、二〇一八年五月、アメリカ政府は、ファーウェイに対してZTEと同じように、制裁をかけるという方針を固めた。

するとと、六月の米中首脳会談で、この話題が取り上げられることになる。ボルトンによると、「適切な措置が取られなければファーウェイの件は2国間の関係全体を損なうことになると習は警告し、呆れるほどの厚かましさで、ファーウェイはクアルコムやインテル（どちらも半導体などを扱う米企業）とも重要な関係のある傑出した中国の民間企業だと主張した。ファーウェイへの制裁を解除してほしい、この件については個人的にトランプと協力して進めたいと習は申し出た」（同書）という。

　トランプは、この「お願い」を喜び、さらにG20サミットでも習に再び説得され、最終的に「前言を撤回し、ファーウェイ製品の米企業による販売を直ちに許可すると言った」という。その後、ボルトンたちが巻き返し、ようやく制裁の決定にこぎつけたと『ボルトン回顧録』に書かれている。

融和派の退場

　結局、トランプの〝対中政策〟の目的は、毎年三〇〇〇億ドル（約三四・五兆円）を超える対中国の貿易赤字を減らすことだった。むろんそれは、中国の台頭という国際情勢を踏まえたものではなく、単にアメリカの赤字を減らすために、対米黒字国に圧力をかけるというビジネスの延長でしかなかった。政府内には、対中強硬派と対中融和派の対立があったが、定見のないトランプは、その都度自分の考えるディールにとって有益な政策を選び続けのである。

しかし、強硬派にとって大きな転機が訪れることになる。それは、二〇一八年三月の経済顧問トップであるゲイリー・コーン国家経済会議（ＮＥＣ）委員長の辞任だった。コーンは米投資銀行大手ゴールドマン・サックス・グループの元社長で、自由貿易を守る立場にあった。

ジャーナリストのボブ・ウッドワードは『ＦＥＡＲ　恐怖の男　トランプ政権の真実』（日本経済新聞出版）の中で、トランプが韓国との貿易赤字が減らないことに感情的になり、自由貿易協定（ＦＴＡ）を破棄しようとした際に、コーンは大統領が署名できないよう文書を隠したこともあったというエピソードを書いている。

二〇一八年に入ると、トランプは中国のみならず日本も含めて、アルミニウムなどの関税強化政策を実施しようとした。コーンはこの政策にも反対し続けた。トランプ政権内で保護主義や対中強硬路線に対する防波堤となっていたのである。しかし、結局は強硬派の意見が通り、コーンは退任することになる（現在は、米ＩＢＭの副会長）。

コーンの二〇一八年三月八日の辞任を機に浮上したのが、それまでトランプ政権内にありながら「除《の》け者」として、ぞんざいに扱われていたピーター・ナバロだった。ナバロらの進言により、トランプは、対中の関税戦争に突入していく。

二〇一八年七月、アメリカは、中国からの輸入三四〇億ドル相当の八一八品目に対して二五％の追加関税をかけることを発表する。その後、数回にわたって品目が発表され、輸入額にして二五〇〇億ドルを超える中国製品に対して追加関税をかけることになった。中国側も報復に関税を上げるなど、お互いに一歩も退かず、トランプ退陣の日を迎えることになった。ちなみに、バイデン政権下でもこの追加関税は維持されている。

「関税戦争」の主役であるナバロは、次々と高官らが辞任・更迭されるなかで政権の終わりまでトランプからの信頼を維持した。政権末期にはホワイトハウス前からテレビ中継にも頻繁に登場して、政権を取り仕切っているかのような顔をしていた。

中国「七つの罪」

そんなナバロは、二〇一九年八月、中国は「七つの致命的な罪」を犯していると発表した。これは、ナバロがトランプに対してアピールしてきた中国の問題点であり、関税戦争の根拠となったものだった。トランプはこれを受け入れ、のちに中国糾弾の「武器」とすることになる。

ナバロの主張する罪は以下の七つだ。

・サイバー攻撃
・技術移転の強要
・知的財産の詐取
・不当廉売
・政府系企業への補助金給付
・人民元の不正操作
・オピオイドの製造

それぞれを簡単に説明しよう。まず「サイバー攻撃」は言うまでもなく、中国政府系ハッカーらによるアメリカを標的にした大規模な攻撃を指す。前章でも詳しく見てきたように、政府系機関の機密情報、民間企業の内部情報などをとんでもない規模で奪ってきた。

アメリカのサイバー攻撃を担い、世界で最も優れたハッキング部隊をもつＮＳＡのキース・アレクサンダー元長官は、中国のサイバー攻撃によって「アメリカの歴史上、最もたくさんの財産が奪われている」と主張している。ちなみにアレクサンダーは、アメリカのサイバー戦争の歴史で中心的な存在で、現在は米アマゾンの取締役に名を連ねている。

「技術移転の強要（ＦＴＴ）」は、中国当局が、中国市場に進出した企業に対して、技術を中国国内の企業に移転するよう強制していたことを指す。行政による事業の承認プロセスや合弁事業の要件などと言いながら、外国企業の技術を奪おうとしてきたとされる。例えば、ある欧州の自動車メーカーは、世界最大級の自動車市場である中国でビジネスをするため、電気自動車で利用するソフトウェアのコードなどを地元協力企業に提供したことで、技術そのものを盗まれてしまったと非難している。

「知的財産の詐取」は、サイバー攻撃やスパイ工作、研究支援という名の技術詐取工作により、民間企業から企業秘密を奪っているとの指摘だ。大学や研究所にスパイを送り込んで先端研究などを盗み、世界中の科学者や研究者を研究費などで取り込む「千人計画」などを介して技術や研究成果を盗もうとしてきた。スパイでなくとも、研究者から何がしかの形で情報を吸い上げることは少なくない。ＦＢＩは「一〇時間ごとに一件の中国スパイがらみの事件が立ち上がっている」と明らかにしていたほどだ。

「不当廉売」、つまりダンピングは、アメリカなどから盗んだ技術を商品化するなどして、安価に売ること。さらに他国の技術を使った商品の値段を下げるために、政府が支援を行う。それが、次の項目にある、「政府系企業への補助金給付」だ。中国が力を入れる分野では製品を安価に売ってシェアを拡大することで市場の競争を歪めてきた。利益を度外視した補助金によって、自由なビジネスが阻害されたというわけだ。

「人民元の不正操作」では、中国が輸出に有利になるよう為替を意図的に安く誘導していると指摘されている。アメリカ政府は二〇一九年に中国を「為替操作国」と認定し、プレッシャーをかけてきた（二〇二〇年に指定解除）。

最後の「オピオイドの製造」だが、これは日本ではなじみが薄いかもしれない。オピオイドとは強力な鎮痛剤のことで、その依存症がアメリカ国内で深刻な社会問題になっている。年間五万人近くが中毒で死亡しており、違法に売買されている。その主要な供給源が中国だと批判されているのである。かつてイギリスがアヘンを中国（清）に大量に輸出し戦争に発展したアヘン戦争を彷彿《ほうふつ》とさせるような話である。

ナヴァロの影響が強まってトランプ政権はこうした問題を念頭に置いて、対中国政策を組み立てていく。最終的には「七つの罪」をやめさせて、貿易赤字を減らす「ディール」

の成功が最大の目標であった。ファーウェイなどの排除もこの流れの中の一つとして進められたのである。

　こうしてトランプ大統領は、中国に対する厳しい姿勢をアピールしてきたがすべては二〇二〇年に行われる大統領選挙で再選されるための、国内のトランプ支持者に対するアピールだったといえるだろう。水面下では、ピルズベリーなどを使って習近平とのやり取りを行っていたし、より大きい「ディール」のためにトランプが小さいと考える「妥協」も厭《いと》わなかった。

　しかし、トランプは二〇二〇年のある時点から突如、本格的な対中強硬路線に向かうことになる。その転機は、新型コロナウイルスだった。

新型コロナがトランプを変えた

　中国内陸部の武漢で初めに確認された新型コロナウイルスの感染者は、アメリカでは二〇二〇年一月二一日に初確認された。中国からの帰国者だった。トランプ大統領は、一月三一日になると中国からの入国を禁止し、二月七日に習近平と電話会談を行った。

　報道をまとめると、会談の内容は、次の三点に集約される。

①中国で新型コロナはコントロールできている
②新型コロナは世界には脅威ではない
③気温が上がれば、このウイルスは消える

今から考えれば、①以外はまったく的外れと言っていい。筆者はこの時、習近平は嘘を並べてトランプに新型コロナの脅威を過小評価させようとしたと考えている。

また、トランプはアメリカのコロナ対策のトップだった米国立アレルギー感染症研究所のアンソニー・ファウチ所長を中国に派遣する提案も行ったが、習近平に断られたという。

しかし、新型コロナの実態が全くわからない中、トップ外交で「習近平は信頼できる」と考えていたトランプはこれらの言葉を信じ、米国民に対しても大々的に、「（この感染症は）すぐに消えてなくなる」と発言した。さらに「（通常のインフルエンザと比べて）そこまで致死的なものではない!!」ともツイートしている。

ボブ・ウッドワードは、この二月の習との会談直後にトランプからかかってきた電話の内容を、『RAGE（レイジ）怒り』（日本経済新聞出版）に記している。トランプは、「彼（習近平――引用者註）はすばらしい仕事をやると思う。記録的な短期間で病院を多数建設している。（中略）米中関係はきわめて良好だ」と語った。

トランプの楽観論を聞いたアメリカ国民は、まさかその裏に習近平の存在があったとは信じられないだろう。皮肉なことに、トランプのアメリカ第一主義を信奉し、中国を毛嫌いする支持者たちは、本当は習近平の言葉に踊らされていたのだ。

しかし、トランプ政権内では、トランプ本人を除いて、習近平の言動を信用するものは誰もいなかった。いや、むしろ反中姿勢が強まっていくことになった。当時、たまりかねたラリー・クドロー国家経済会議（ＮＥＣ）委員長は、「中国共産党の政治局はわれわれに正直な姿勢でいるように思えない」と中国を牽制している。

さすがのトランプも、三月になっても拡大の一途をたどるコロナの状況をみて、習近平の言葉はおかしいと気が付いたようだ。さらには、後述するように中国が新型コロナの発生を隠蔽《いんぺい》していた事実が、情報機関から報告された。

そこで発せられたのが、「中国ウイルス（Chinese Virus）」（三月一六日のツイートで最初に使ったとされる）という批判だった。新型コロナは中国で発生し、世界に広がったとトランプは主張し、ことあるごとに「中国ウイルス」と批判をくり返した。それに支持者たちは喝采を送った。

ウッドワードによると、トランプは、「中国は二カ月早くそれが問題を起こしていたのを知らせるべきだった。（中略）世界はなんの問題も抱え込まなかったはずだ。もっと簡単に阻止できただろう。でも、中国はそうさせたくなかった――じっと時間稼ぎをした。秘密のままにした」（『RAGE　怒り』）と語ったという。

これに中国側は激怒し、習近平とトランプの蜜月関係は完全に終わった。それ以降、両者の間で直接会談はもちろん、電話による接触も行われていない。

アメリカの情報機関が掴んだコロナ起源

新型コロナについて中国政府の見解では、二〇一九年一二月に初めて感染が確認されたということになっている。武漢にある華南海鮮市場で、動物から人へ感染が起き、感染の拡大が発生したと主張し、当初はこれが「常識」となっていた。だがそれ以前に中国国内で、異変は起こっていた。その実態を告発していた医師たちに対して、中国政府が容赦の無い口封じをしていたことが判明している。現在では、武漢市の海鮮市場は、クラスターの発生場所の一つだっただけ、という意見も多い。

トランプは二〇二〇年一月末から、新型コロナの発生源について徹底調査を行うよう情報機関に命じていた。その報告がトランプの中国に対する考え方を変える理由の一つとなった。

それは、どのような内容だったのか。筆者がＣＩＡの元幹部二人に取材をしたところ、アメリカの諜報関係者らの意見は二つのポイントに絞ることができた。

一つは、新型コロナウイルスは、中国の武漢にある武漢ウイルス研究所にあるＢＳＬ４（バイオセーフティレベル４）の研究施設から漏れた可能性が高いこと。そしてもう一つは、この研究所では、中国の人民解放軍との共同プロジェクトがいくつも進められていたことだ。

そのあとに表面化した情報によると、二〇一五年に設立されたこの研究施設には、二〇一八年、アメリカの科学専門の外交官らが何度も視察に訪れており、その管理の甘さを米本国に報告している。また、同研究所に資金提供するなど密接な協力関係にあったアメリカの研究所が内情を調査している、という情報がもたらされた。

興味深いこともわかっている。アメリカに一八ある情報機関の一つであるＤＩＡ（米国防情報局）傘下の「ＮＣＭＩ（国家医療インテリジェンスセンター）」は、新型コロナ発生前から定点観測的に中国の感染症の調査を実施していた。あるＣＩＡ元幹部は、「（ＤＩＡはアメリカの情報機関に）二〇二〇年一月よりしばらく前に、コロナ感染が広がっていたようだ、と報告をしていた」と話す。

さらに、元ＣＩＡ長官でもあるマイク・ポンペオ国務長官は、二〇二〇年秋から、改めて国務省の情報組織であるインテリジェンス・リサーチ局（ＢＩＲ）にコロナ発生源をめぐる調査を実施させた。そして、国務長官退任の五日前に、その調査結果を発表している。そこで、先に述べた二つのポイントである、「武漢ウイルス研究所の施設から漏れた可能性が高いこと」と、「同研究所は中国の人民解放軍と共同プロジェクトをいくつも行っていたこと」を改めて明らかにした。

ＢＩＲの報告では、少なくとも二〇一九年一一月には、武漢市中で感染が確認されていたとの情報も出てきている。

筆者はこれらの情報から、当初、中国が新型コロナの感染情報を隠蔽した可能性はかなり高いとみている。習近平国家主席は、不都合な事実を闇に葬り、トランプを騙したのだ。トランプ政権のマット・ポッティンガー大統領副補佐官（国家安全保障担当）は、中国が感染症発生の実態を隠そうとし、「当時のデータはすべて廃棄するよう命じていたことも、我が国の情報機関は把握している」と明らかにしている。二〇二一年になっても中国政府が、新型コロナの調査のため武漢を訪れたＷＨＯ（世界保健機関）の調査団の行動を厳しく制限し、求められたデータを提供しなかったことからも、それはうかがえるだろう。

「米国による24のうそ」

そして、ここでも情報戦は展開された。

中国は、都合の悪い事実から人々の目を逸《そ》らすために、新型コロナの発生源について、在外中国大使館のＳＮＳアカウントなどを駆使して、情報工作を試みたのである。

中国外務省の趙立堅報道官は二〇二〇年三月一二日、ツイッターで「この感染症は、アメリカ軍が武漢に持ち込んだものかもしれない。アメリカは透明性をもって、データを公開する必要がある」などと主張した。民間人が陰謀論を作り出したのではなく、中国政府や情報機関が意図的に流したフェイク情報だった。

中国国内ではツイッターは使用禁止だが、世界で一〇〇を超える大使館や領事館では、ツイッターアカウントを開設している。それを駆使して、プロパガンダ・メッセージを拡散させていた。在日中国大使館も、ツイッターの公式アカウントで、「ＣＯＶＩＤ－19ウイルスについて米国による24のうそとその真相」という動画を二〇二〇年五月一五日から八回以上にわたって掲載している（現在は見られなくなっている）。

ここでは、在日中国大使館の公式HPに掲載された長大な文章から一部を紹介しよう。中国はこの「24のうそ」を各国語に翻訳し、公式HPなどで現在も公開している。

「最近、米国の一部の政治屋とメディアは米国内の新型肺炎の感染への対応が不十分なことに対する人々の関心をそらし、中国に責任をなすりつけようと、常軌を逸したさまざまなうそを言い続けている。しかし、米国の第16代大統領リンカーンも言っているように『一部の人をずっと欺くことはできても、すべての人を一時欺くことができても、すべての人をずっと欺くことはできない』。真相がうそを止める。われわれは事実を語る。今後も新たなうそが出れば、引き続き世界の人々に真相を話すだろう」

これに続き、中国の考える「24のうそ」とその反論が列挙される。

「うそ1＝新型コロナウイルスは『中国ウイルス』、『武漢ウイルス』である。

事実・真相＝世界保健機関（WHO）はウイルスの名前を特定の国や地方と関連づけてはならないと規定している」

「うそ6＝中国人はコウモリを食べて新型コロナウイルスに感染した。

事実・真相＝中国人の食材にもともとコウモリはない」

「うそ8＝中国は当初から感染を隠そうとし、対外的発表の時機を逸し、感染の拡散、まん延を招いた。

事実・真相＝新型コロナウイルス肺炎の感染は未知のウイルスが人類を突然襲ったもので、理解、把握するうえで一つのプロセスが必要だった。中国は公開、透明かつ責任ある態度で、いち早く情報を対外的に発表した」

「うそ16＝中国はＷＨＯをコントロールし、金銭でＷＨＯを抱き込んでいる。

事実・真相＝中国は多国間主義を堅持している。長年、中国はＷＨＯと良好な意思疎通と協力を続けているが、コントロールしたことなどない。ＷＨＯの最大の資金拠出国である米国が拠出を一時停止し、国際社会の一致した反対に遭っている」

これら二四の主張を、ＳＮＳの公式アカウントだけでなく、偽アカウントを大量に作ってばら撒き、国を挙げた情報工作を続けているのだ。

「24のうそ」に前後して、コロナの中国外起源説を主張し、まともに取り合ってもらえないとわかると、別の国の起源説を広めるなど、稚拙な部分も目立つ。

存在しないスイス人学者

その中で、中国による非常にお粗末な情報工作を紹介しよう。

二〇二一年七月にスイス人生物学者ウイルソン・エドワーズなる人物が、「起源調査結果をアメリカがひっくり返そうとしていると警告」した。続けて中国が新型コロナの発生源であるという話は、非常に非科学的で「政治問題だ」と、欧米の責任を指摘したという記事が、「人民日報」などを中心に公開された。中国政府系新聞や中国系のSNSなどは、こぞってこの発言を引用した。

ところがである。各国のメディアなどがこの人物を探しても、どこにも存在が確認できないのだ。エドワーズが、自らの主張を掲載したフェイスブックのアカウントも立ち上げられたばかりのもので、実在を証明するものではなかった。

ついには在中国スイス大使館が抗議の声明を発表する事態となった。スイス大使館は、ツイッターで「もしあなたが存在するのならお会いしたい」という皮肉まで発信した。いまでは、中国による完全なでっち上げだと断定されている。

こうした世界への世論工作は、中国共産党による新疆ウイグル自治区に暮らすウイグル族への人権蹂躙《じゅうりん》問題でも行われている。自治区政府が支援している張裕文化という名の民間企業は、ツイッターで一〇〇件を超えるアカウントを作り、ウイグルに関して中国政府に何も問題はないという発言をばら撒いていた。こうした工作に対して、ツイッター社は毅然とした態度を示し、二〇二一年一二月に同社のアカウントを削除したことを明らかにしている。フェイスブックを運営、管理するメタ・プラットフォームズも、同様の活動をしていた四川無声信息技術（共産党寄りの民間情報セキュリティ企業）を名指しで非難している。また中国はマスクなどの医療用品や中国製ワクチンを途上国などにばら撒くことで、自分たちの言い分に賛同してくれるよう促してもいる。

「中国はフランケンシュタインだ」

こうして、コロナを機に、トランプはそれまでの中国との「ディール」を求める姿勢から一八〇度転換し、政権内の対中国強硬派の主張を丸のみするようになる。

たとえば、中国の新疆ウイグル自治区でのウイグル族の弾圧についても、かつてトランプは、「遠慮なく収容所を建設すべきだ」と習近平に直接語っていた。当然、人権問題にも何の関心も示していなかった。それが二〇二〇年六月には、ウイグル族らの弾圧に加担する当局者に制裁を科す「ウイグル人権法案」に署名している。

アメリカがウイグル問題に直接、制裁を科すことは、中国側が絶対に許容できないラインであり、それをトランプも理解していた。この変貌は、中国とは完全に決裂していることをうかがわせた。

二期目を目指すトランプとしては、中国と対決姿勢を取ることが、大統領選挙に勝つためめの「票」に直結するという自信を深めていったのだろう。

当初から中国に対して厳しい姿勢を示してきたマイク・ペンス副大統領やマイク・ポンペオ国務長官も、このころから堰《せき》を切ったように反中発言を続けた。

なかでも二〇二〇年七月に、ポンペオがカリフォルニア州にあるニクソン大統領記念図書館で行ったスピーチは、中国共産党に対する「新たな冷戦」のはじまりを宣言したと言われている。

ポンペオは、中国共産党についてアメリカのこれまでの「エンゲージメント（関与）」による恩を仇で返す「フランケンシュタイン」だと、かなり辛辣な表現を使っている。

「われわれや同盟国（日本、韓国）は、中国共産党に対する見方を変えることから始めなければいけない。真実を語る必要がある。われわれは現在の中国を普通の国として扱うことはできない。中国との交易は、法を順守する普通の国との交易と同じようには扱えない。

われわれは、すべての中国人学生や従業員が、学びに来た普通の学生やカネを稼ごうとする普通の労働者ではないことを知っている。彼らのうちのかなり多くが、知的財産を盗み、中国に持ち帰るためにここアメリカに来ているのである」
中国から多くのスパイが来ているとした上で、「自由な世界こそ勝利するのである」と語っている。

ここからトランプ政権はさらにギアを上げて、中国への容赦ない糾弾をはじめることになる。

コロナという偶然によって本格化した対中強硬路線は、台頭する中国への対応が遅れたアメリカにとって不可欠、あえて厳しい言葉を使うなら「必要悪」だったと言える。これまでのアメリカ大統領は、ある意味中国の顔色をうかがうだけだった。トランプもコロナ以前はそうだった。しかし、アメリカが望む世界の秩序のためには、これくらい大きな政策転換が必要だった。そして、その転換はトランプにしかできなかったと筆者は考えている。政治の素人であるトランプ大統領だったからこそ、それまでの秩序や慣例も、自身が就任後に築いてきた習近平との個人的な関係も無視できた。

その結果、近年のアメリカ大統領の中で最も強硬とされる路線への転換を躊躇なく実施できたといっていい。二〇一六年の米大統領選で敗れた民主党のヒラリー・クリントンや、トランプと同じ共和党でも別の人物が大統領になっていたとすれば、トランプが行ったような大胆な転換はできなかっただろう。中国への対抗策で明らかに遅れをとったアメリカは、このタイミングでトランプが登場しなければ、取り返しのつかないことになっていた可能性がある。

ひょっとするとトランプ本人は習近平とのホットラインを維持したまま新型コロナも「ディール」のカードとしたかったのかもしれない。しかし、国際外交はそんな生やさしいものではない。一度切れた関係の修復は容易ではないし、ましてや、相手は中国だからだ。

とはいえ、多分に場当たり的で、アメリカファーストの一点張りだったトランプ外交は、日本以外の同盟国との関係を大いに棄損するなど、その弊害も大きかった。

そして、二〇二〇年のアメリカ大統領選挙で時代はトランプから同盟重視のバイデンに移る。

実は、情報戦の観点からみても、この大統領選挙はひとつのターニングポイントを示すものだった。

大統領選挙二〇二〇とサイバー戦

すでに記したように、二〇一六年のアメリカ大統領選挙は、ロシアによるサイバー攻撃によって完全に破壊された。それは、アメリカの民主主義の敗北であったともいえる。

そこでアメリカの情報機関は徹底的なサイバー対策をして、二〇二〇年の選挙を迎えると決意した。トランプもそれを許可し、史上最高レベルのサイバー防衛が行われることになったのである。

新型コロナが猛威を振るう中、行われた二〇二〇年の米大統領選挙。前代未聞の環境で行われた選挙の結果、民主党候補のバイデン前副大統領が圧勝したわけだが、むしろ、多くの読者は、その後の「醜態」を記憶しているのではないだろうか。トランプ陣営は、大統領選挙を「不正選挙である」として騒ぎ、世界が困惑するほどの大混乱を招いた。

日本でも少なからぬトランプ支持者たちが登場し、彼が民主主義を破壊していく様を「礼賛」していた。自称・保守のツイッターアカウントが、自らのトランプ支持を表すために、アイコンを彼の顔に変えるという現象も見られた。

皮肉なことに、現職の大統領が不正だと否定して二〇二〇年の大統領選挙は、過去もっとも不正の少ない選挙だったと言えるかもしれない。その背景には、大統領選挙におけるサイバーセキュリティの強化が挙げられる。

半数を超える州でドミニオンなどの集計用コンピューターが導入され、かつてないほどデジタル化が進んだ。その際、デジタル化がもたらすリスクが徹底的に検討された。ロシアによるハッキングで、大統領選挙の集計結果を書き換える工作すら行われる可能性があったからだ。

筆者は二〇二一年五月、アメリカで開催されたインテリジェンス関係のリモート会議に参加した。そこで大統領選挙当時、米サイバーセキュリティ・インフラセキュリティ庁（CISA）のトップだったクリス・クレブス局長の話を聞くことができた。二〇一八年に同庁が創設されると同時に局長に就任したクレブスは、自分は「二〇一八年の中間選挙と二〇二〇年の大統領選挙が安全に行われるために雇われたと言っても過言ではない」と語る。

アメリカの「セキュリティ敗戦」（前述のロシア・ゲート）の後、クレブスに課された任務は、ネット上での情報工作が再び起きないように、監視を強めて妨害を未然に防ぐことだった。アメリカは同じ過ちは繰り返さない、というわけだ。

二〇一六年の大統領選挙で、ロシアの工作アカウントやプロパガンダ広告を垂れ流しにした、フェイスブックやツイッターにも、徹底したロシア対策を依頼した。

　クレブスは就任後、庁内で数限りないほど選挙を襲うであろうサイバー攻撃のシミュレーションを徹底的に行い、どのようにすれば投票の安全と正当性が守られるのかを多角的に検討した。世界屈指のサイバー攻撃力を誇るロシアからの攻撃を阻止するのは、いくら対策を準備しても十分ではない。

　サイバーセキュリティの世界では、攻撃側のほうが圧倒的に有利だ。守る側にしてみれば、すべてのセキュリティの穴を埋めるのは難しいからだ。それでも対策は必ずあるはずだと、クレブスは考えた。

「紙」が最大の防御策

　さまざまなシナリオを精査したクレブスは、投票で使われるシステムのチェックはもちろんのこと、投開票のスタッフの管理も徹底するようアドバイスをしたという。その上で、選挙の正当性を確保するのに必要な措置について、ある結論に至っていた。

　それは、「投票の記録を紙で残すこと」であった。無数のシミュレーションから、投票の記録をすべて紙で物理的に保管することが最も安全であると考え、各方面にそのように指示を出したのだった。
マシンを使って正しく集計されたかどうかを監査するにしても、紙に戻ればいつでも再確認できる。仮にマシンがサイバー攻撃などに遭って異常な動きをしたとしても、紙に戻れば再集計ができる。

この対策は成功した。クレブスのアドバイスにより二〇二〇年の大統領選挙では、すべての投票のうち九五％で紙による記録が残された。ちなみに二〇一六年には八〇％ほどで、クレブスの指摘がなければ、さらに減っていた可能性もあったのだ。

インターネットの発展とクラウド化が叫ばれる中、最も安全な情報管理の方法が紙だったというのは皮肉である。

また二〇二〇年の大統領選挙では国外からの重大なサイバー攻撃は確認されなかった。実は選挙直前に、米サイバー軍やＮＳＡのサイバー部隊が「積極的な防衛」としてロシア系のハッカーに攻撃をしかけたのだ。対米サイバー攻撃や情報工作を担うハッカーは先制攻撃にあい、「攻撃拠点」を失った状態で投開票日を迎えたというわけだ。

選挙当日には、クレブスの監視拠点に、国防総省やＮＳＡ、ＦＢＩなどの政府機関の担当者や民間のセキュリティベンダーの関係者が集まり、異常な動きはないか、各地の様子をモニターしていたという。

史上最も波乱に満ちた米大統領選挙は、サイバーセキュリティを任された組織によって最も安全が守られた選挙でもあったのだ。この話は、現在いかにサイバー空間が人類にとって重大な役割を担っているのかがわかるエピソードだとも言える。

議会襲撃事件

二〇二〇年の大統領選挙では、最大の攪乱《かくらん》者はロシアではなくトランプ大統領だったといえるのかもしれない。選挙後、トランプはどうあがいても勝てないことを前提に行動をはじめた。フィルターやファクトチェックを回避しながら有権者に直接メッセージを伝えることができる、お気に入りの「拡声器」、ツイッターを駆使し、支持者たちを煽《あお》り続けたのだ。

トランプによる発信を真に受けた支持者たちは、ついに米連邦議会を襲撃するにまで至った。民主主義を世界に広めてきたアメリカ政治の象徴的な建物に、暴徒が雪崩《なだ》れ込んだ衝撃的な映像が全世界に配信された。

この結果が、トランプ時代のすべてを表していると言えよう。そして「史上最も安全な選挙だった」という本来なら誇るべき事実を覆い隠してしまうのが、トランプという男だった。

二〇二一年一月六日、ワシントンで行われる大統領選挙の結果認定の直前に、トランプは市内に集まった支持者の前に現れ、「議会へ行こう」と演説した。これに煽られた支持者が議会に突入したことで、トランプ支持者四名と警察官一名が死亡し、多数が負傷する事態になった。トランプ陣営や支持者らが煽ってきた不正選挙という主張によって、結果的に人命が失われる事件に発展したのである。しかし、米議会のトランプへの弾劾は共和党の議員によって阻まれ、その責任の所在は曖昧になったままだ。襲撃一年後の二〇二二年一月には、バイデン大統領が「トランプ前大統領には特別な責任」があると演説している。

このような襲撃事件は、突然発生したように考えている人も少なくないだろう。しかし、襲撃の状況を検証してみると、起こるべくして起きたものだったと言える。米情報機関の関係者たちは、何かが起こることをわかっていた。それにもかかわらず、食い止めなかった。大統領選挙に敗れたあと、当時、まだツイッターを使うことができたトランプ大統領は、二〇二〇年一二月一九日にこう書いている。

「1月6日、ワシントンDCでデカいデモが。ワイルドになるからぜひ参加を」

さらに年が明けて、一月一日にもこうツイートして煽った。

「1月6日午前11時、ワシントンDCで大規模な抗議集会が開かれる」

さらに議会に突入する計画自体について、トランプ支持者たちがオンライン上で情報交換を行っていたことが分かっている。この議事堂襲撃には、元軍人や地方の元政治家、過激思想のネオナチや陰謀論を支持するQアノンなどの活動家らも関与していた。Qアノンとは、近年アメリカで勢力を広げている陰謀論をもとに、トランプを「正義の戦いを指導する人物」としてあがめている人々を指す。彼らは銃器や結束バンドを準備するなど、かなり周到に襲撃事件を計画していた。

武装都市ワシントン

こうした襲撃計画は、連邦議会からそう遠くない場所に本部を構えるFBIも当然把握していた。つまりトランプの選挙不正発言に便乗して政府への「テロ」を狙った人たちが、一定数現れることは調べあげており、警戒もしていたのだ。当然、SNSの監視から、口だけでなく「実行」を伴う危険な状況にあることも察知していた。

司法省は、米議会を警備する議会警察の応援に、ＦＢＩを派遣しようと検討していた。米議会警察は二〇〇〇人以上の武装部隊と四億六〇〇〇万ドル以上の予算を持つ組織であるが、それだけでは警備が不十分ではないかと認識していたのだ。

また、国防総省も「武装した州兵を動員できる」と事前に議会警察に伝えているところから、どんな事態が起きうるのかはアメリカの各情報機関が想定していたことになる。

首都ワシントンＤＣで取材をしていると、ホワイトハウスや連邦議会など政府の重要な施設では、常にテロの危険性があることから、かなり厳重な警備が敷かれている。武装した警官などがあちこちにいて、冗談で近づこうものなら撃ち殺されても仕方がない――そんな空気すらある。徹底した管理下に置かれた武装都市なのだ。

また情報関係者の間では知られていることだが、ワシントンＤＣの中心部は、通信ネットワークがかなり整備され、監視されている。そして、ネットワークの利用者も完全に把握されている。つまり、スマホを所持していれば、誰がワシントンのどこにいるのかは一目瞭然。だからこそ、当日議会周辺に集まっていた人たちの身元を、当局は簡単に突き止めることができた。また動画をシェアしたり、ＳＮＳにアップロードしたりしている人も多く、映像に映った顔の確認もしやすかった。

つまり当局側には、何か事が起きた際の後始末は難なくできるという計算があったのである。事実、当日議会周辺にいたデモ参加者のうち約四三〇人が時間をおかずに逮捕されている。

トランプは復活するのか

米政治の象徴である連邦議会を襲撃するという事件は、トランプの正当性を完全に貶《おとし》め、存在感を一気に消し去るのに一役買ったと言える。議会の襲撃事件を事実上「扇動」したトランプは結果「声」を失った。有権者に直接語りかけるツールとして利用していたＳＮＳのツイッターやフェイスブックのアカウントを凍結されたのだ。

影響はそれだけではない。トランプ支持者の多くが同様にアカウントが凍結されたために、彼らの中の保守派たちが集まった新しいＳＮＳ「パーラー」が始動した。ところが、そのＳＮＳがサーバーを使用していた米アマゾンは、同ＳＮＳは暴力を扇動するプラットフォームであり、規約違反であるとして利用禁止にした。

これを「表現の自由への規制だ」とするトランプ支持者も多いが、ＳＮＳ関連企業は耳を貸さなかった。それまで、「言論の自由」を標榜し、アカウント閉鎖に乗り気ではなかったＩＴ企業が、積極的に政府に協力するようになったのだ。

その後、トランプ自身は、自らのソーシャルメディア「Truth Social」を二〇二二年二月に立ち上げている。「ツイート」ボタンは、「トゥルース（真実）」というボタンになっており、フェイクニュースを揶揄《やゆ》するようなユーザーインターフェイスになっている。自らの苦境すらビジネスに変えてしまうのだから、トランプの強《したた》かさはこれまでの大統領選挙の敗者とは一線を画している。

一度は表舞台から消えたトランプは現在、フロリダ州の別荘「マールアラーゴ」で、ゴルフをしながら優雅に暮らしている。アメリカには「元大統領法」があり、スタッフの人件費として年間一〇万ドル、年金は年に二二万ドルが支払われている。また大統領任期前にあった借金に対して資金援助も行われ、トランプは一〇〇万ドル相当を受け取っている。

そして二〇二二年に行われる米中間選挙を見据え、公に発言も開始している。二〇二一年には何度か演説を行い、積極的にコメントも出した。ロシアによるウクライナ侵攻後に、「プーチンは賢い」と評価したコメントが批判されて、さすがに軌道修正をしたが、トランプはまだ話題を振りまく存在だ。

第五章　アメリカファーストから「同盟強化」へ

バイデン政権発足

では、トランプからバイデンに代わってアメリカの対中政策はどう変わったのか。

二〇二〇年の大統領選挙前、「中国に強硬姿勢のトランプ」VS.「中国に妥協するバイデン」という構図が広まり、日本でもそれを鵜《う》呑《の》みにするコメンテーターもいた。

まず確実なことはバイデンになっても、アメリカにとって最大のライバルが中国であることは変わりないということだ。そして、中国の姿勢が変わらない以上、アメリカの対中強硬政策も続く。その最前線が、本書で言及してきたサイバー戦、スパイ合戦なのである。

バイデン大統領は就任直後の二〇二一年二月一〇日、習近平から祝辞の電話を受けた際に二時間にわたって会談をした。

その中で、バイデンは以下のポイントを習近平に伝えたと報じられている。

アメリカは中国との衝突を望んでいないが、両国の競争は非常に厳しいものになるということ。また、中国は公正な競争、慣行、貿易といった国際的なルールに従うべきだということ。アメリカは自国民を最優先し、労働者と科学開発への投資を強化すること。

ここで「公正な競争、慣行……」で含意されているのは、中国がアンフェアな競争をしているという指摘だ。

さらに重要なのは、バイデンが「対中同盟」を強調したことである。これはトランプの「アメリカファースト」とは正反対の政策を示したことになる。

この会談の内容をより明確に打ち出したのが、三月の記者会見だ。

「中国の最終的なゴールは、世界をリードする国になり、世界一裕福な国になり、世界で最も強い国になることだ。それは私の目が黒いうちには実現しないだろう。なぜなら、アメリカはさらに成長していくからだ」

バイデンはオバマ政権で副大統領を務めていた。習近平とはその時からの交流があったと明かす。

「私は長い間、習近平とは知り合い同士である。当時、習近平が次期国家主席になるのは明らかだった。オバマ大統領は胡錦濤と話をして、私と習近平がお互いを理解して関係を築くよう方針を決めた。習近平は副主席だったため、大統領であるオバマが習近平と一緒に時間を過ごすのは不適切だったからだ。そんなことから、副大統領を退任した時点で、私は世界のどのリーダーよりも習近平と一緒の時間を過ごしたと言えるだろう。

私は習近平とお互いの通訳とで、ともに時間を過ごし、細かいところまで話をした。習近平は非常にわかりやすい男だ。彼の頭には民主主義なんて言葉はこれっぽっちもない。しかし非常に頭がいい。習近平は、プーチンと同じで、専制主義こそが未来であり、この複雑な世界では民主主義は機能しないと考えている」

習近平を民主主義の否定者として厳しく断じたのである。

追加関税も維持

そして、二〇二一年四月二八日、バイデン大統領は、就任から一〇〇日になるタイミングで、議会で施政方針を表明した。そこでも中国との競争こそがアメリカが直面する外交面での最大の課題であると指摘したのだ。

「われわれは二一世紀を勝ち抜くために中国との競争（状態）にある」

「中国やその他の国々がペースを上げて追いつこうとしている。未来の製品やテクノロジーを開発して優位に立つ必要がある」

そして、二月の習近平との電話会談に言及した。

「私は習近平に、われわれはインド太平洋で強力な軍事的存在感を示し続けると告げた。欧州のNATOと同じように。ただそれは紛争を始めるという意味ではなく、衝突を避けるためであるとも言った」

バイデンはトランプ政権の後半の強硬路線に、さらにNATO、日豪印などの自由主義陣営を巻き込んでいくと表明したわけだ。これは、対中強硬路線の強化に他ならない。

中国のアキレス腱である台湾についても、驚くべき対応を行った。アメリカ大統領として中国との国交正常化以降初めて、台北駐米経済文化代表処代表である蕭美琴を就任式に招待したのだ。彼女は、蔡英文総統の側近でもある。トランプが考えなく台湾からの祝意を受け取ったのに対し、バイデンは全てをわかった上で挑発的に台湾を招待しているのだ。そのメッセージを中国は深刻に捉えている。バイデンの台湾重視は、二〇二二年二月に一億ドル相当の武器を売ることを表明したことからもわかる。

二〇二一年四月菅義偉首相（当時）との日米首脳会談の共同声明でも台湾について触れ、「台湾海峡の平和と安定の重要性を強調するとともに、両岸問題の平和的解決を促す」との文言が入った。一九六九年以来、約五〇年ぶりに台湾についての文言が盛り込まれたことになる。

さらに重要なのはバイデンはトランプ政権による関税政策も維持したことだ。今も中国からの輸入品には二五％の追加関税は維持されたままだ。ほかに、ウイグル強制労働防止法案にも署名している。

外交ブレーンは対中強硬派

バイデンの姿勢は人事にも表れている。その代表的な例が、国家安全保障会議（NSC）のインド太平洋調整官に起用したカート・キャンベルと、ジェイク・サリバン大統領補佐官（国家安全保障担当）だ。

キャンベルはオバマ政権で国務次官補を務め、バイデンのことをよく知る人物だ。中国に対しては容赦ない姿勢を見せることで知られる。中国が経済的な報復といった「戦狼（ウルフ・ウォーリアー）」外交で好戦的な姿勢を見せていることに対し、「アメリカは相応の対処をせざるを得ない」と発言している。

サリバンは、オバマ政権時代にバイデン副大統領の補佐官を務めた。「新疆ウイグル自治区や香港での振る舞いや、台湾への敵意や脅迫への対価を払わせ、行動をとる準備をすべき」とも発言している。

両者に共通するのは、中国をもはや支援の対象などではなく、明確なライバルと位置付け、異なる価値観を持つ相手として対峙するという姿勢だ。そこで注目すべきは、二〇一九年にキャンベルとサリバンが共同で、米「フォーリン・アフェアーズ」誌に寄稿した論文「封じ込めではなく、米中の共存を目指せ」だ。そこで彼らは、「中国とは共存を求めるべきで、軍事、経済、政治、グローバル・ガバナンスでアメリカの利益を確保すべきだ」と指摘し、事実上のG2時代の到来を認めている。また中国との付き合い方については、「中国とのエンゲージメント（関与）を進める時代はもうすでに終わっている」とも指摘する。つまり、中国内部からの「民主化」「自由化」といった変化を求める時期は終わったということだ。

そこで鍵となるのは「競争」相手という認識だ。二人の論文では、同盟国と関係を強化し、複数の国で中国の動きに影響を及ぼしていくべきだ、としている。これこそが中国に対するバイデン政権のアプローチのベースとなっていると考えていいだろう。

日本が発案した「クアッド」

バイデン政権は中国に対峙するために、アジアに軸足を置く政策を推し進めている。なかでも重要な動きは、「クアッド（ＱＵＡＤ、日米豪印戦略対話）」だ。政権発足後の二〇二一年三月にも、早速ビデオ会議で「クアッド」の国々の首脳と会談を行っている。

この戦略対話の枠組みは、日本ではあまり知られていないが、二〇〇七年八月に安倍晋三首相（第一次政権）が、インドを訪問して連邦議会で演説した際に、多角的な協力関係の構築を呼びかけたことに端を発している。安倍首相の呼びかけにインドが応じ、さらに二カ国が加わったことで、対中包囲網の中核を構築した。日本がアジア太平洋地域の外交新秩序の発端を作ったことは、もっと評価されてもいい。

その後クアッドは、あまり目立った活動はしてこなかったが、二〇二〇年八月、米国務省のスティーブン・ビーガン副長官が米印戦略フォーラムにおいて、あらためてクアッドについて触れたことで再注目されるようになった。当時、ビーガン国務副長官はこんな発言をしている。

「トランプ政権が続こうが敗れようが、新しい大統領による新しい政権が生まれても、クアッドを四カ国ではじめることは非常に重要なきっかけになるだろうし、この連携の行方を探っていくのは非常に価値があることだ。ただこのイニシアティブを、中国に対する防衛のため、または、中国を封じ込めるためだけの目的にしないように気をつけるべきだ。それ以上のものにしたほうがいい」

ビーガンはさらにこう続けた。

「ただ（最初から）あまり野心的になりすぎないようにもしたほうがいいだろう。クアッドをインド洋・西太平洋地域のＮＡＴＯにするなんて声も聞いている。忘れてはいけないのが、ＮＡＴＯですら、最初は比較的、期待感は大きくなかったし、第二次大戦後の欧州でＮＡＴＯ加盟について多くの国が中立を選んだことだ。ＮＡＴＯの加盟国は現在では二七カ国（実際は三〇カ国）だが、もともとは一二カ国だけだった。つまり、小さい規模ではじめて、加盟国を増やしてゆくゆくは大きくなることができる」

要は、最初は少数の国ではじめて基礎を作ってから、徐々に参加国を増やし、結束して中国に対抗していこうというものである。これは南シナ海で人工島を作るなど、軍事活動を活発化させてきた中国にとっては歓迎すべき動きではない。「加盟国を増やす」というビーガンが念頭に置いているのは、ニュージーランドや韓国、ベトナムなどだろう。それらの国を加えて「クアッド・プラス」として拡充する話も取り沙汰されている。

そのクアッドは、自由で開かれたインド太平洋戦略のための「四カ国イニシアティブ」とも呼ばれており、二〇二〇年一一月には海軍合同演習も行われた。特に南シナ海はインド洋から太平洋に抜ける重要な海路で、世界の貿易船の半分以上が通過し、日本に入ってくる原油の八割も南シナ海を通る。まさに日本の戦略上、重要な海なのだ。

一方、経済でも、ファーウェイ他、中国のＩＴ企業の締め出しについてはすでにふれたが、サプライチェーン（供給網）から中国を切り離す動きも、日本、インド、オーストラリアで協議されている。

日本企業ではコロナ流行前から人件費の高騰などもあり、東南アジアなど中国以外にもにも工場を設置する「チャイナプラスワン」の動きが活発化していた。今回のコロナで、マスクなど重要物資の供給不足が起こったこともあり、日本国内への工場移転なども進むとの指摘もあるが、この点は未知数だ。

アメリカも独自で、半導体分野で中国への依存度が高いサプライチェーンを見直そうとするなど、中国とのデカップリング（切り離し）を進めている。

バイデン政権発足後の二〇二一年三月、さらに九月と、クアッドの四カ国の首脳が会談を繰り返し行った。それに対して、中国外務省の華春瑩報道官は、九月の記者会見で「中国の脅威をあおって中国と周辺国の関係悪化をたきつけることに躍起になっている。中国はこれに断固反対する」と述べ、警戒感を強めている。

さらに「対中同盟」で見逃せないのが太平洋地域に影響力を持つ欧州諸国の動きだ。

民主主義国家版「一帯一路」構想

二〇二一年六月にイギリスで開催されたG7では、台頭する中国を牽制することに重きが置かれたが、アメリカとイギリスはそれに先だって「新・大西洋憲章」に合意し、「民主主義と開かれた社会」「ルールに基づいた国際秩序」を中国にも促す意思を確認している。そしてアメリカなどが先頭に立って、欧州諸国も一緒に中国に対抗していく意思をG7でも明確にした。

さらに、英仏独は台湾近海に艦隊を派遣する機会が増えた。二〇二一年五月、フランスが強襲揚陸艦をアジアに派遣し、日米豪と訓練を行う。一一月には、ドイツのフリゲート艦「バイエルン」が太平洋上で、自衛隊と共同訓練を行い、その後日本に寄港した。二〇二二年二月にはイギリスが、空母クイーン・エリザベスをインド太平洋地域に派遣することを発表した。これまで中国を刺激することを避けてきたヨーロッパ諸国としては、異例のことだ。

今後、欧米の対中政策の中心になりそうなのが、バイデン大統領がイギリスのボリス・ジョンソン首相と電話会談（二〇二一年三月）した際に触れた、「民主主義国家版」の「一帯一路」構想である。アメリカや欧州諸国などが手を組んで、途上国のインフラ整備などを進める提案だ。つまり、民主主義国家による経済圏構想ということになる。

のちにバイデンはジョンソンにこう呼びかけたと語っている。

「われわれは本質的に中国の一帯一路と似たような民主主義国家によるイニシアティブを持つべきで、世界中で援助が必要な国々を手助けすべきだ」

インターネットなどのインフラが十分に整っていない途上国では、通信インフラの整備は指導者への支持に直結するため、喉から手が出るほど支援が欲しい。そのため、中国政府の支援を受けた利益度外視のインフラ整備の話を断る理由はない。後に借金返済に困り中国からのさまざまな要求を断れなくなると分かっていても、である。

バイデンはそれを止め民主主義の価値観を共有する西側の国々で同じような取り組みをする必要性を感じているわけだ。実はこの「民主主義国家版『一帯一路』」は、トランプ政権下で生まれた計画だ。当時（二〇一八年）のマイク・ペンス副大統領が、同趣旨で六

○○億ドルを投じることを発表し、日本政府も同調して一〇〇億ドルを提供するとした。合わせて七〇〇億ドルをインド太平洋地域の国々のインフラ整備に充てると明らかにしている。それをバイデン政権も引き継いでいるのだ。

最近では「ＯｐｅｎＲＡＮ」という構想も話題になっている。この構想は、５Ｇなどの無線機器を特定の会社の製品のパッケージとして売るのを止めて、コンポーネント（部品）ごとに様々なメーカーの製品を自由に選択できるようにする仕組みだ。フォーマットの統一を、国を越えた企業連合で行おうというわけだ。このやり方なら、価格を比較的抑えることができ、欧米の企業でもファーウェイなどの中国企業と競うことができると見られている。

他国との協調路線で中国を牽制するというバイデン政権の安全保障政策にも合致する。Ｇ７でも、民主主義国家の経済圏構想は検討が始まっており、途上国の持続可能な開発などを支援する「クリーン・グリーン・イニシアティブ」という枠組みも議論になっている。

中国のイメージ戦略

こうしたアメリカの「対中同盟」づくりに、中国はどう対応しようとしているのか。

二〇二一年五月の共産党の会議で、中国の習近平国家主席は国外から「信頼され、愛され、尊敬される」中国のイメージづくりを行うよう指示を出した。さらに、習近平は中国は「広範に友人をつくる」とも発言しているところから、そのイメージの悪化を相当気にしていることがうかがえる。

中国は近年、年間一〇〇億ドル（約一・三兆円）以上を投資して、中国のソフトパワーを世界に広めてイメージアップを図ろうとしてきた。すでに触れた「孔子学院」などもその一例だろう。

その戦略の一つが、アメリカでの世論工作だ。ファーウェイ製品の排除の問題はすでに触れたが、そのようなアメリカでの「反中」意見を抑え込もうと、中国政府は同社と組んで活動を行っている。

二〇一九年三月、中国に対して辛辣な記事を書く米紙「ワシントン・ポスト」のジョシュ・ロギン記者は、PR会社から、「経費はファーウェイ持ちで中国の本社を取材に来ないか」と誘いが届いたと明かしている。その電子メールには、本社では「オフレコで議論する」機会もあるとされた上で、「この提案は決してオープンにしないように」と添えられていた。ロギンは、受け取ったメールを送信者の名前も電子メールアドレスも隠すことなく、ツイッターでそのまま公開した。

すると、このツイートは大きな波紋を呼ぶことになる。ツイートを見たロイター通信社のアメリカ安全保障担当であるジョナサン・ランデイ記者が、「似たような電子メールを受け取った。ただ中国大使館の広報から届いたのだが」とコメントしたのだ。つまり、これは中国政府による世論工作の一環だったと考えて間違いない。

中国の対外世論工作には「柔」と「剛」の両面がある。このイメージアップ作戦は「柔」だが、強圧的な「剛」の面として知られるのが、二〇二〇年一一月にオーストラリアのメディアに突きつけた「一四カ条の不満」だ。その内容の一部を紹介すると、

・ファーウェイとZTEを5Gネットワークから排除した
・新疆、香港、台湾に絶え間ない強引な干渉をしている
・新型コロナウイルスに関する国際的な独立調査の呼びかけは、中国への攻撃
・中国人ジャーナリストの家宅捜索や財産没収（スパイ容疑など）
・サイバー攻撃について根拠のない中国への疑惑
・二国の関係を害する非友好的な報道

これに、オーストラリアは猛反発した。中国流の「世論工作」を押し通そうとして、か

えってマイナスを増大させたケースといえるだろう。

豪やアジア諸国など、中国との距離が近い国では、中国の覇権主義を警戒する傾向がどんどん強くなっている。では、地理的に遠く、安全保障上の緊張は弱いヨーロッパ諸国は、野心的な中国の伸張に、どう対処しようとしているのだろうか。

ヨーロッパが「反中」に

筆者の見るところ、もともと欧州の国々は、基本的に中国に対して敵意を見せたくなかったと思われ、その大きな理由は経済関係だろう。そもそも中国は、ＥＵにとって一番の貿易相手国だ（二〇二〇年の貿易総額が約七五兆円、二位はアメリカで約七一兆円）。中国はＥＵ域内に積極的に投資を行っており、相互関係を築いて、影響力を維持しようとしている。

そのような背景もあって、ＥＵ加盟国の中から一八カ国が、巨大経済圏構想「一帯一路」と、アジアインフラ投資銀行（ＡＩＩＢ）にも加入している。また中国は、ＥＵが関係を強化したがっているＡＳＥＡＮ（東南アジア諸国連合）の最大の貿易相手国であり、何を進めるにも経済的に無視できない状態になっている。

欧州のインテリジェンス関係者は次のように語っていた。

「中国に行ってみるとわかるが、中国の要人の多くがドイツ車を使っている。中独の関係は、その事実が象徴しているような気がする。経済の結びつきが強いために、特に中国の内政問題に触れるのは勇気がいる」

ところが近年、そのヨーロッパでも対中感情が悪化してきているというデータがある。

米の調査会社ギャラップによれば、アメリカ人の中国に対する好感度は調査を開始した一九七九年からの約四〇年の中で、「歴史的な低さ」になっているという。二〇一八年には「中国に好感を持たない」という回答は四五％だったが、二〇二一年二月の段階で約七九％と大きく悪化している。

この傾向が欧州でも顕著なのだ。米の調査会社ピュー研究所による二〇二一年五月の調査では、ほとんどの欧州の先進国で中国を否定的に見る人が多数を占めている。スウェーデンでは八〇％、オランダでは七二％、ドイツでは七一％、フランスでは六六％、イギリスでは六三％が中国を好ましく見ておらず、アメリカ同様にその割合は近年になって急増している。

ちなみに、米データ情報会社モーニング・コンサルトの調査で、中国人のアメリカに対するイメージもデータ化されている。それによると、不信感を持つのは七四％という。米中は、国民同士もお互いに不信感を抱いていることがわかる。

また先のピュー研究所の調査によれば、日本人の八八％が中国を好ましく思っていないという結果が出ており、先進国では世界で最も中国を嫌っている国ということになる。

ドイツも変化

風向きが変わったのは、二〇一九年にＥＵの欧州委員会が中国とのビジネス関係について批判をはじめたときだった。中国が政府などの公的な補助金によって製品価格を不当に引き下げて競争を阻害したりすることに懸念を示したのだ。欧州企業の買収によって、知的財産を奪ったりすることも危険視されるようになった。さらに踏み込んで、「経済をベースに共産主義を権威的に広めようとしている」とも指摘した。そして、欧州委員会は史上初めて中国を「体制的なライバル」と呼び、ドイツも「体制的な競争相手」とこれに同調するようになったのである。

欧州諸国が中国を対立相手と見るようになった決定打は人権問題だった。なかでも二〇二〇年六月に香港で施行された「香港国家安全維持法（国安法）」は、大きな反発を生んだ。

この法律は、「香港に介入する外国勢力との結託などの犯罪を犯した場合、最低三年、最高で無期懲役が科される」としている。この異常性は、香港の域外で、香港の永住権を持たないものが行った行為についても、処罰されるというところにある。ちなみに同法の施行前の二〇二〇年には、スウェーデン国籍を持つ香港の書店経営者に対して、「海外への違法な情報提供」を行ったとして、懲役一〇年の刑を科している。スウェーデン政府は強く抗議したが、中国政府はそれを無視している。外国籍を持っていても中国政府は容赦しないことが分かる。

このような状況下で、ドイツの態度も変わりつつある。ドイツはフランスとともに働きかけ、ＥＵにおいて「通信の傍受」「インターネットの監視」に使うことができる情報関連機器・技術を、香港に輸出できないようにする制限措置を早々に決めたのである。これは人権問題のみならず、情報管理、安全保障の問題なのだ。

さらに新疆ウイグル自治区の人権問題について、ドイツのクリストフ・ホイスゲン国連大使が主導して「新疆ウイグル自治区の人権状況および最近の香港の動きに深刻な懸念を表明する」という、中国を批判する共同声明を発表している。ホイスゲンは当時アンゲラ・メルケル前首相の外交顧問でもあり、中国の人権問題には厳しい発言を行ってきた。

二〇二一年は日独交流一六〇周年ということもあり、関係は急速に近づいた。三月には両国が機密情報のやり取りを簡単にするインテリジェンス協定（日独情報保護協定）が結ばれた。駐日ドイツ大使館の公式サイトには、以下のような説明がある。

「協定は、相手国の当局や企業との間における保護を必要とする情報のやり取りを可能にするものであり、これにより安全保障および防衛技術に関するより深い協力が可能となります。さらに日独両国はサイバーセキュリティ・宇宙・電磁波に関しより緊密な協力を進めようと考えています」

四月には日独間では初めての外務・防衛担当閣僚協議（2プラス2）をビデオ会議方式で開催し、「自由で開かれたインド太平洋」に向けたメッセージとなった。日本にとってフランスやイギリスに次ぐ2プラス2を行える欧州の国となった。これまで日本との関係に一定の距離を保ってきたドイツからは考えられないような関係強化といえるだろう。

ベルギーは中国スパイの巣窟

ＥＵ首脳らは、習近平とのオンライン会談などで、中国の人権抑圧への懸念を直接的に伝えている。また二〇二一年三月にウイグル族への弾圧に対して、ＥＵは一部の中国当局者らに経済制裁を科しているが、この制裁自体一九八九年の天安門事件以来、初めてのことだった。

ヨーロッパが中国への警戒を強めている背景には、欧州での中国のスパイ活動がある。ベルギーの首都ブリュッセルでは、中国スパイの跳梁跋扈《ちょうりょうばっこ》が深刻な問題となっている。

二〇二一年五月、ベルギー議会でサミュエル・コゴラティ議員はフィンセント・ファン・クイッケンボルヌ司法相に対してこう発言した。

「われわれはアリババがただの民間企業ではなく、中国共産党の命令で動く手先であることを再認識すべきである。例えば、アリババの顔認証技術で少数民族のウイグル族に対する抑圧を行っている」

コゴラティは、メディアにもこう語っている。

「この巨大ＩＴ企業を誰が支配しているのか、中国からの投資も、厳しく再調査しなければならない。自分たちの安全や基本的な自由を保障するため、またベルギー国民の個人データを守るために、目を開かなければならない」

アリババは現在、ベルギーに一億ユーロ規模の投資を進めている。ベルギー第五の都市である東部のリエージュを欧州向けの輸送ハブやロジスティック拠点にするべく動いているのだ。二〇二一年一一月に完成した物流拠点ＥＨＵＢは、リエージュの空港にも直結している。アリババは、空港にも投資を行い、二四時間三六五日、中国から物品を運んで欧州に輸送することになるという。

地元では疲弊した経済を復活させてくれるとの期待がある一方で、当然反発もある。国民の一部から「アリババを注視せよ」という反対運動も起きているのだ。

これらの指摘に対して、アリババは、「ベルギーの議員や機関、メディアが『アリババのリエージュ空港でのロジスティクスのプロジェクトが中国政府のスパイ活動とつながっていて、住民のプライバシーや安全保障への脅威になる』と疑っているが、根拠はない」と回答している

しかし、実は、安全保障の専門家などからは、ベルギーはもっと自分たちの甘さに自覚を持つべきだと指摘してきた。

理由はベルギーの首都ブリュッセルの立ち位置にある。ブリュッセルは、ヨーロッパの首都とも呼ばれ、ＥＵ本部や関連機関が多数存在し、欧州の軍事同盟であるＮＡＴＯの本部もある、ヨーロッパの政治・軍事の中心都市なのだ。

そのような場所を中国が見逃すわけがない。ＥＵの外交部門を担う欧州対外行動庁（ＥＥＡＳ）によれば、ブリュッセルには現在二五〇人の中国人スパイがいると指摘されている。この数は、ロシアから来ているスパイの数よりも多いという。

しかも中国のスパイは、ブリュッセルを拠点にして、アメリカなどにもスパイ工作に「出張」している。二〇一八年一〇月、米オハイオ州に本部がある航空機エンジンメーカーＧＥアビエーションから情報を盗み出そうとしたとして中国人の大物スパイが逮捕されたが、このスパイは、ＭＳＳのブリュッセル支局の副局長だった。ブリュッセルで情報収集をしていたときに逮捕され、アメリカに身柄を送致されたのである。

このような事情から、ベルギーの国会でアリババへの不信感が噴出するのはもっともだと言える。本書でも繰り返し記したように、アリババと中国政府が緊密な関係にあることは周知の事実だからだ。

ベルギーのクイッケンボルヌ司法相は、コゴラティ議員の指摘にこう答えている。

「中国のスパイらは、空港の機密保安エリアにもアクセスできる可能性がある……リエージュ空港が将来的に、中国にとってさらに経済的に重要な拠点になっていくことを過小評価してはいけない。アリババは、リエージュでの活動で得た商業的な機密情報や個人データを、中国の情報機関が欲しい場合に、情報機関の指示に従って、渡さなければならなくなるだろう」

イギリスでの議会工作

二〇二二年一月一四日、英紙「タイムズ」が掲載した記事は、イギリス議会に大きな衝撃を与えた。それによると、ＭＩ５（英情報局保安部、米のＦＢＩに相当）が、「中国系イギリス人の弁護士、クリスティン・リーが『ＵＦＷＤ（中国共産党中央統一戦線工作部）』の意向を受けて政治干渉の活動をしていた。秘密裏に議員らに寄付金を提供していた」として警告を発したという。ＵＦＷＤは前述したように中国国外での世論工作を行う組織である。

記事に掲載されたＭＩ５の文書をもとに事件のあらましを紹介する。クリスティン・リーは、子供時代にイギリスにやってきた。いつ工作員になったのかは不明だが、イギリス人と結婚して同国の国籍を手に入れている。

彼女は労働党のバリー・ガーディナー下院議員と親しくなり、二〇一四年以降、自身の弁護士事務所「クリスティン・リー＆カンパニー」から四二万ポンド（約六五〇〇万円）

の寄付を渡していた。さらに彼女の息子をガーディナー議員の事務所に就職させていた（発覚後に辞任）。

ガーディナー議員は、この話をＭＩ５に「私から知らせていた」とＢＢＣの番組で発言している。また、自由民主党の党首エド・デイヴィーも、リーから献金を受けていたことが明らかになった。

ＭＩ５は、中国の工作員が、超党派の議員連盟「Chinese in Britain」（現在は解散）などを使って、イギリスの政界が中国にとって都合よく動くように活動していたと結論付けた。

ヨーロッパを舞台にしたスパイ工作を重く見た欧州委員会は、二〇二一年四月に欧州各地の大学に学内や関連研究所で、中国のスパイ行為を防止するために民間の「防諜スタッフ」または「防諜組織」を指名または設置すべきだとまで提案している。同委員会では、行動規範やガイドラインを作る協議も行われている。欧州でもアメリカの後を追って、中国に対する締め付け強化が始まりつつある。

こうした動きに対して、中国側は政府系メディアを使って反発している。

中国共産党の機関紙傘下の英字紙「グローバル・タイムズ」は、アメリカはデンマークの情報機関の協力を得て、当時のメルケル独首相のみならず、何人もの国家のリーダーの電話を盗聴してきたと指摘した。

中国側は、「欧州諸国よ、あなたたちはむしろアメリカのスパイ工作の被害者ではないか」と主張しているわけだ。その記事では辛辣にアメリカをこう糾弾している。「いわゆる世界最大の民主主義国家の、邪悪な集団のボスというイメージは、ますます鮮明になっている」。やっているのは自分たちだけではないということだ。

スノーデンによる暴露から、メルケルがアメリカの監視対象になっていたことは、すでに明らかになっている。いまのところ新しい事実は出ていないにもかかわらず、「最近欧州メディアでまた報じられている」と書くなど、同紙は事実とフェイクニュースを混ぜながら欧州の世論をかき乱そうとしているようだ。これが欧州をまきこんだ、中国とアメリカの情報戦の現実である。

「小国」の反発

中国はこれまで一帯一路の一環として、中東欧、バルト三国（ラトビア、リトアニア、エストニア）への働きかけを熱心に行ってきた。

エストニアはＮＡＴＯの対ロシアの最前線国のひとつであり、欧州のサイバー攻撃対策の拠点がある重要な国だ。エストニアの防諜機関ＫＡＰＯは、数年前から中国によるスパイ活動を警戒しておりその活動を注視してきた。さらに同国の対外情報機関のエストニア国外諜報サービスも、中国を訪問するエストニア国民に、対して「スパイにリクルートされる可能性があるために注意が必要だ」と警告し続けていた。

そのエストニアで二〇二〇年、中国のスパイが摘発される事件が起きている。スパイとして逮捕されたのは、ＮＡＴＯの海洋部門に特化した研究所に勤める有名なエストニア人科学者ターモ・クーツだった。クーツはＮＡＴＯの機密情報にもアクセスできる立場にあり、中国のために二〇一八年からスパイ活動をしていたとして起訴され、禁固三年という判決を受けた。

エストニアの防諜最高責任者であるアレクサンダー・トゥーツは、地元紙の取材に「クーツは機密情報にアクセスできる地位にあり、それでクーツを早い時点で逮捕することに決めた」とその理由を語り、「クーツが中国にどのような情報を提供したかを説明することはできないが、エストニア国家またはＮＡＴＯを裏切ることはできなかった」と語っている。

中国は二〇一二年から旧共産圏の一六カ国に呼びかけて「16プラス1」というグループをつくっていた（二〇一九年にギリシャが加わり「17プラス1」）。

ところが二〇二一年に行われた習近平主催のオンライン会合では、中国が各国に首相の参加を要求したが、バルト三国やルーマニア、ブルガリア、スロベニアの諸国は、格下の閣僚を出席させた。中国が格下として扱っていた国々から、手ひどいしっぺ返しをうけ、面子を潰されたのである。なかでもリトアニアは、「17プラス1」から離脱し、さらに一帯一路からの離脱を表明している。

リトアニアは二〇二一年、新疆ウイグル自治区で起きている人権蹂躙問題を「ジェノサイドである」と決議したことに始まり、中国製のスマートフォンは「情報を盗む可能性があるため捨てよ」と警告し事実上使用を禁止した。

また、米政府の呼びかけに応じて、空港用の保安検査用X線機器を製造・販売する中国国営メーカー、ニュークテック（同方威視）の製品を排除する決定を下した。同国はさらに、鉄道やエネルギー、通信分野でも安全保障に影響を及ぼしかねない国外の企業などを排除していくとの姿勢を鮮明にしている。

極めつきは、中国が国家として認めていない台湾の大使館に当たる代表機関である「台湾代表処」を開設したことである。

中国はこれに対して、リトアニアからの輸入品を港で留め置くなどの「いやがらせ」を行った。中でも二万本を超えるラム酒の留め置き問題は大きな騒動となり、最終的に台湾企業が買い取りを表明した。

リトアニアの「反中姿勢」はますます進み、チェコやスロバキアを誘って、台湾に対して新型コロナウイルスのワクチンの無償提供、経済視察団の受け入れを行うなどの接近を続けている。

世界はネットで分断される

この章では、バイデンの同盟強化路線とグローバルに形成されつつある「対中同盟」の動きをみてきた。とはいえ、世界経済における中国の存在は確固たるものであり、ヨーロッパをはじめ、中国との全面対決を望む者はいないだろう。アメリカ、日本も例外ではない。

そう考えているところに、ロシアによるウクライナ侵攻が起きた。ロシアに対する西側諸国の経済制裁は厳しいものとなった。

ＳＷＩＦＴからのロシアの金融機関の排除、ロシアの外貨準備の凍結、ロシアからの石油などエネルギー輸入の禁止（アメリカ）、ディーゼルエンジンや半導体などのロシアへの輸出禁止などが行われ、さらに西側企業の相次ぐ撤退、クレジットカードの停止など制裁から派生する問題も大きくなってきた。

これはある意味、アメリカが主導する「同盟の力」を見せつけたともいえるだろう。

そこで微妙なのは、中国の立場だ。追い詰められたロシアが、中国になびいていくことは、想像に難《かた》くないが、中国としても「西側同盟」を完全に敵に回すことは国益に反する。近年、緊張を高めている台湾問題ともつながっていくだろう。

しかし、いま中国が進めているデジタル・シルクロードやデジタル人民元が、「西側諸国」の考える秩序と最終的に対決することは避け難く見える。

インターネットなどのネットワーク網が、国家運営に重要で不可欠なインフラとなった今、そのセキュリティは国の統制・支配そのものであり、安全性を維持しようと躍起になるのは当然である。たとえばロシアは有事の際に、ロシア国内のインターネットを世界のネット網から完全に切り離し、外からの攻撃を遮断できるようにしている。もっとも、ロシアはそれを否定しているが、国家が有事の際のシナリオについて手の内を明かさないのは当然のことだ。

中国政府によるネット統制は、ロシア以上に強固なものだ。自前の世界秩序を目指す中国の動きが今以上に進んだとき、ネットインフラをベースとして中国主導の地域と、中国を排除した西側主導の地域とが分断される可能性は小さくない。そのとき世界は、新しい二大勢力圏に分断されることになるだろう。

第六章　日本はサイバー軍を作れ

中途半端な日本

ここまで見てきたアメリカとロシア・中国の争い。そしてそこに巻き込まれる欧州。もちろん日本も他人事ではない。世界規模の覇権争いが続く中で、日本はどういう立場を取るべきなのか。実は日本は非常に中途半端な姿勢を見せている。

その一例が、ファーウェイ排除である。アメリカは二〇一八年成立の国防権限法により本格的にファーウェイ排除措置がとられるようになってから、同盟国に５Ｇ通信機器などでファーウェイ製品の排除を要請した。すでに述べた通り、一〇年も前から米政府はファーウェイを安全保障のリスクだと結論づけて警戒しており、国防権限法の前から国防総省などは米軍基地での使用禁止措置などをとっていた。

オーストラリアはすぐに反応し、同年のうちに安全保障への脅威からファーウェイを禁止にする予定であると発表した。

では、日本はどう対応したのか。米政府のファーウェイ排除要請の直後、「読売新聞」など大手メディアは、日本政府もファーウェイなどの製品を政府調達から排除すると報じた。

ロイター通信や香港の「サウス・チャイナ・モーニングポスト」、オーストラリアの「シドニー・モーニング・ヘラルド」など海外のメディアでも大きく報じられている。この動きを受けて、中国商務省は日本政府に対して、「日中関係に悪影響を及ぼす可能性がある」と脅しもかけてきた。

こうした動きをみれば、多くの人が日本政府もファーウェイ製品を排除したと考えるだろう。

ところが、である。

先日、日本のサイバーセキュリティの司令塔である内閣サイバーセキュリティセンター（NISC＝ニスク）の関係者に話を聞いたところ、「各省庁の調達時に、ある特定メーカーを名指しして排除はしていない」と言うのだ。さらに二〇二〇年一二月に平井卓也デジタル改革担当相（当時）も記者会見で「我が国のこの申し合わせでは、特定の事業者とか機器を名指しで排除するような記載はしていません」と発言している。

防衛省関係者もこう話す。

「機会均等という観点で、調達にも特定の企業を排除するということはしないのが防衛省。さらに備品などもなるべく安く購入できるならそちらを選ぶこともあり、セキュリティがトッププライオリティになっていない現実がある」

さる自衛隊関係者も最近、「これだけ（スパイ疑惑が）言われているのに、職員に中国系のメーカーのノートパソコンが配られて唖然《あぜん》とした」と嘆いていた。

日本政府の危機意識は欧米に比べて圧倒的に低いのが現実なのだ。

あらためてファーウェイの日本語公式サイトをチェックしてみた（二〇二二年三月二二日閲覧）。すると、Ｑ＆Ａの項目にこんな記述が掲載されていた。

Ｑ：ファーウェイは日本の５Ｇネットワーク構築から排除されているのですか？

Ａ：日本政府が発表した調達ガイドラインは、特定の国や会社について詳細を述べたものではありません。

この記述を見ると日本からは、ファーウェイ製品が排除されていないとしか読めない。

ＬＩＮＥのデータもファーウェイ製品で保管

ファーウェイについては、さらにこんな話もある。

中国には「国家情報法」という、個人も企業もスパイ組織に協力しなければいけない法律があることはすでに述べた。実はこれが思いがけず、日本人にも影響を及ぼす問題が発生しているのだ。

それが、二〇二一年三月に「朝日新聞」の報道で発覚した、無料通信アプリＬＩＮＥのサーバー問題である。通信アプリとして国内最大の八六〇〇万人のユーザーをもつＬＩＮＥのユーザーデータが、中国の関連企業で閲覧可能になっていたと判明し、大きな騒ぎになった。実際に中国人四人がＬＩＮＥの技術開発に関わる際にデータにアクセスできていたと、ＬＩＮＥ側は認めている。

もともと韓国ネイバー社の下に作られたＬＩＮＥだが、本国の韓国よりも日本で人気のアプリになった。

ＬＩＮＥの運営会社幹部は筆者にこう話す。

「ＬＩＮＥの開発部門を韓国側が担ってきた。日本の運営会社からは開発をコントロールしづらい環境にありました。その韓国側が中国法人に下請けさせ、そこで働く中国人たちが日本人のデータにアクセスできるようになっていたのが実態です」

言うまでもなく、中国の国家情報法によれば、こうした中国法人の扱うデータも政府が手に入れることが可能になる。

ただこの幹部はこれまで明らかになっていなかった事実をこう暴露する。

「LINEの開発部門はAIの開発も進めており、できる限りのデータを蓄積させたがっていたのです。そのために、LINEを使う大勢の日本人の写真や動画、ファイルといったデータを韓国に置いているサーバーに保存していました。今回、批判を浴びたことから、現在はすべて日本で保存するように変わりました。

ですがそれよりも問題なのは、日本人のデータを保存していた韓国側のサーバーなどの機器が、中国のファーウェイ製だったことです」

ここまで見てきたように、ファーウェイへの疑惑を顧みると、この事実の重みがわかるだろう。我々、個人がファーウェイ製品を使わないと決めていても、世界がインターネットでつながっている現在、どこで情報が把握されているのかわからないのだ。

弱腰の日本

米政府が二〇二〇年八月に通信網、海底ケーブルにおいて中国企業を排除する「クリーンネットワーク計画」を発表して同盟国などに参加を呼びかけたことは先に述べた。五六カ国が参加し、その勢力は世界のＧＤＰの六六％ほどになると言われている。

しかし、「読売新聞」（一〇月一六日付）には、「通信分野などのネットワークから中国企業を排除するトランプ米政権の計画について、日本政府が現時点では参加を見送る方針を米側に伝えた」と報じている。ここでも、中国への忖度《そんたく》が働いている。

さらに、バイデン政権になってからも、日本は中国を意識するあまり、西側陣営の足並みを乱すような動きをみせている。

米国務省は二〇二一年三月末に公表した世界の人権状況をまとめた報告書で、「新疆でウイグル族や、その他の民族的、宗教的マイノリティーに対するジェノサイドや人道に対する罪が起きた」と明記し、ウイグル族弾圧を「ジェノサイド」に認定した。そしてほかのＧ７の国々がすべて中国に対して、ウイグル族への扱いの是正を求めて制裁を科しているにもかかわらず、唯一日本だけが、中国に対する制裁措置をとっていない。野党の中からも、中国共産党に制裁を科すよう求める声が上がっているのに、当時の菅義偉首相は一向に動く気配を見せなかった。

加藤勝信官房長官（当時）は二〇二一年三月二三日の記者会見でその理由を問われ、「人権問題のみを直接、あるいは明示的な理由として制裁を実施する規定はない」と答えている。つまり、人権問題に対して制裁を科せる法律がない、というのである。Ｇ７の他の国から見れば、日本は先進国として責任を果たすつもりはないと映るだろう。

二〇二一年一〇月には、岸田文雄首相が習近平国家主席と電話会談を行って、尖閣諸島周辺への中国海警局所属の公船の侵入、香港問題、そして新疆ウイグル自治区の人権問題を提起したと発表した。ただそれ以上になんらかの動きがある兆候はない。

二〇二一年四月、外国で起きた人権侵害に制裁を科す「日本版マグニツキー法」の議員立法を目指す超党派の議員連盟が設立された。だが日中関係を重視する一部の自民党議員や、公明党、共産党が慎重な姿勢を見せているために、今後はどう進展していくのか不透明である。

ファイブアイズ

情報戦の重要性がますます高まるなか、「日本にもＣＩＡのような情報機関が必要だ」

という議論も、幾度となく論じられてきた。

そこで、最近特に注目されるようになったのが「ファイブアイズ（ＦＶＥＹ）」である。ファイブアイズとは、直訳すると「五つの目」だが、ここではアメリカ、イギリス、カナダ、オーストラリア、ニュージーランドが参加している機密情報共有の枠組みを指す。そこに日本が参加するのではないか、などという憶測が定期的に流されているのだ。

歴史を少し振り返ってみよう。ファイブアイズは、もともと冷戦構造の中で、一九四六年に自由主義陣営の米英が合意した「ＢＲＵＳＡ協定」が始まりだった。一九五〇年代後半にかけて、そこにカナダとオーストラリア、ニュージーランドが加わり、英語を公用語とする五カ国による同盟に発展。シギントを中心にスムーズに情報が共有されるようになった。この時点では、ファイブアイズは秘密協定であり、その存在は極秘だった。

ファイブアイズの存在が最初にクローズアップされたのは、二〇一〇年のことだ。米英両政府機関が機密案件だったその存在をオープンにしたことによる。ＢＲＵＳＡ協定の合意文書が公開され、「冷戦時代の最も重要な機密文書」とも言われた。

その関連文書によって、インターネットのない冷戦時代に、「エシュロン」と呼ばれる大規模監視プログラム（電話、ＦＡＸなどの盗聴を行う）の成果をファイブアイズの諸国がある程度、共有してきたことがわかったのである。

　ファイブアイズの「敵」は時代とともに移り変わってきた。冷戦の時代は当然ながらソ連を相手にしてきた。しかし、一九九一年にソ連が崩壊して冷戦が終結すると、その役割は次第に小さくなる。だがしばらくすると、イスラム系テロ組織が台頭して各地でテロ事件を起こすようになった。主たる監視対象はイスラム過激派に移っていく。二〇〇一年にアルカイダがニューヨークなどで起きた、同時多発テロをきっかけにして、アフガニスタンでの戦争が勃発した。アルカイダの後継としてイラクなどを支配したテロ組織だったＩＳ（イスラム国）が事実上崩壊、一方でタリバンがアフガニスタンの政権を奪取するなどの変遷はあったものの、一時期よりはイスラム過激派の動きも鈍化した。そこでファイブアイズの照準は、覇権を狙う中国に向かっているというわけだ。

非英語圏の国は参加できない

　そのファイブアイズに、日本が本当に参加できるのだろうか。近年、メディアの話題にあがった例を紹介しつつ検討してみよう。二〇二〇年七月に当時の河野太郎防衛大臣が、イギリスのトム・トゥゲンハート下院外交委員長と行った電話会談がその一つだ。会談後、トゥゲンハートがファイブアイズ入りに「協力できる機会を考えるべきである」と発言、さらに「日本も入れたシックスアイズは面白い」とツイートなどをしたため、日本メディアが大きく取り上げた。

ただこれは、ＥＵから離脱し経済的に苦境に立たされたイギリスのリップサービスとみるべきだ。イギリスは、「環太平洋パートナーシップに関する包括的及び先進的な協定（ＴＰＰ11＝ＣＰＴＴＰ）」への参加を目論んでいて、日本の味方であることを強調したというわけだ。

そもそも日本の参加を示唆する発言をしているのは、ボリス・ジョンソン首相やトニー・ブレア元首相、そしてトゥゲンハートとイギリス政府の要人ばかりで、ファイブアイズを主導しているアメリカの政府や軍、情報機関などからそんな話は一切出てこない。ハーバード大学のジョセフ・ナイ特別功労教授やリチャード・アーミテージ元国務副長官など、比較的日本と近い人物が民間の報告書で短く言及しているくらいである。彼らは政策決定の現場からは離れており、発言にそれほどの影響力はない。

ファイブアイズの拡大に関しては、以前、ドイツを加えるかどうかという議論が米議会で行われたことがあった。ドイツの情報機関ＢＮＤ（連邦情報局）は、「ＣＩＡの出先機関」と言われるほど、アメリカとの協力関係が深いが、ファイブアイズに加入することはできなかった。フランスも、米政府の提案で加入する話があったが、オバマ政権下の交渉で両国が決裂したため立ち消えになっている。

同じＮＡＴＯの有力メンバーであり、ＣＩＡのカウンターパートになるような強力な対外諜報機関を持った独仏ですら加入できないのが現状なのだ。日本がファイブアイズに加わるのは難しいだろう。そもそも日本には強力な対外諜報機関はないし、ＮＳＡのような通信傍受やハッキングを実施できる組織もなく、法整備もされていないからだ。

また、ファイブアイズに入らなくとも、日本はすでにアメリカをはじめ西側諸国に対して情報提供を行っている。

ある内閣情報調査室の職員によれば、「日本各地にいくつもの電波傍受拠点を設置し、日本周辺のシギントやエリント（電磁波などから得る電子情報）を集めている。しかも日本は世界的にも非常に優れた衛星画像を収集できる能力があり、アメリカには普段から衛星情報を提供している。そう考えると、そもそもアメリカには日本をファイブアイズに入れるメリットも必要性もない」と言う。実際に、日本の衛星画像の能力は、世界的にも知られていて、ロシアのウクライナ侵攻後に、ゼレンスキー大統領は、日本に対して衛星情報の提供などの協力を要請している。アメリカにしてみれば、自分が独占できる日本の衛星情報を、わざわざイギリスやオーストラリアなどと共有する必要はない、というわけだ。

そもそもファイブアイズの「身内意識」の強さは、我々日本人からは想像もつかないものがある。ある国際機関関係者は、ヨーロッパで行われた国際会議での光景を述懐する。

「先進国が集まって会議が行われていたが、その中で別途、ファイブアイズだけが参加する会議もあった。五カ国以外は絶対に近寄れないような警備の厳重な会議で、その結束の固さを感じさせられた」

近年、ファイブアイズは、情報共有をするグループから政治メッセージを発信するグループに役割を拡大しはじめている。その理由はもちろん中国への対抗だ。ウイグルの人権問題でも四カ国が「ジェノサイドである」との見解をみせた（ニュージーランドは認定せず）。

さらに二〇二〇年一一月に中国の全国人民代表大会（全人代、国会に相当）常務委員会が香港立法会（議会）の民主派議員を排除する弾圧強化に動いた際も、ファイブアイズは、香港がメンバー国イギリスの植民地だったことを踏まえ、「われわれは中国政府に、選挙で選ばれた議員らに対する行為を考え直し、直ちに立法会のメンバーを復活させるよう求める」「中国の動きは、国連に登録され法的拘束力を持つ中英共同宣言に反し、国際的な義務に明確に違反している」と声明を発表している。

サイバー防衛もアメリカ依存

では、日本は安全保障の上で、どのようなサイバー対策を行っているのだろうか。

日本はサイバー空間でも、アメリカに依存しようとしている節がある。

二〇一九年四月、ワシントンで日米の外務・防衛担当閣僚による安全保障協議委員会（2プラス2）が実施された。当時の河野太郎外務大臣と岩屋毅防衛大臣が、アメリカのマイク・ポンペオ国務長官とパトリック・シャナハン国防長官代行とともに日米の安全保障について協議を行った。この「2プラス2」では、次のようなことが確認された。

「サイバー攻撃が、日米安全保障条約五条の定める武力攻撃に当たる場合があり得ることを確認した」

つまり尖閣諸島と同じように、日本のサイバー空間に敵国からの攻撃が発生した場合には、アメリカが助けに来てくれることになったというのだ。日米安保条約がサイバー空間にも適用されると両国が合意したのは史上初めてのことだった。岩屋大臣は当時、「サイバー空間における日米共同対処の可能性を明確にするもので、抑止の観点からも意義が大きい」と語っている。

敵国が暗躍するサイバー空間で、防衛のための抑止力を手に入れたと考えているのかもしれないが、まずこの意識自体が問題だ。

自分の国や自分のインターネット網は、自分たちで守る必要があるし、日本人にはそれができる環境も能力もある。どこにいても高速インターネットが利用でき、世界中の電子機器や部品、ソフトウェアなどをすぐに手に入れることができる。その優れたサイバー環境にあることを、なぜか日本人が一番、気が付いていない。

サイバー軍を作るチャンス

とはいえ、今から軍事力で中国に正面から対抗していくなどというのは現実的ではない。そこで提案したいのが、サイバー空間で戦う能力の向上だ。

二〇一〇年にアメリカとイスラエルが実施したイラン核燃料施設への極秘サイバー攻撃で、マルウェア（ウイルスのような不正なプログラム）を解読したドイツ人サイバーセキュリティ専門家のラルフ・ラングナーは、「日本は技術力もあるのに、なぜサイバー分野でもアメリカに依存しているのか。サイバー攻撃能力も独自で開発を行って世界をリードできるはずだ」と筆者にアドバイスをしてくれた。

　本書でも繰り返し論じたが、これからの戦争はサイバー空間が重要になる。極端な話をすれば、兵器はＧＰＳなどで動き、指揮系統にもコンピューターが入り込んで、デジタル化されている。そもそも米軍がインターネットを開発した背景には、指揮系統の中で一つのコンピューターが攻撃で破壊されても、他のコンピューターから指揮を続けられるようネットワーク化するという発想があった。コンピューターを攻撃できるサイバー能力があれば、ミサイルや戦闘機、イージス艦などの兵器を揃えるのと同様、いやそれ以上の力を発揮できる。たとえば、衛星すらサイバー攻撃を受ける時代になっているのだ。

　米ハーバード大学ベルファーセンターのインテリジェンスプロジェクトを率いる元ＣＩＡ幹部のポール・コルベは、「1と0（コンピューターのプログラム）は、爆弾やミサイルよりも、さらに効果的な兵器になりえるのです」と語っている。

　イスラエルの元政府高官は筆者にこう述べている。

「今や、諜報活動はハッキングなどで行うことが多くなっている。われわれは、インフラなどを攻撃して破壊するだけの行為、つまりオフェンシブなサイバー攻撃は、ハッキングで『盗み』をするよりも簡単だと考えている。というのも、『盗み』をするには、長い期間、相手に気づかれないようにパソコンに潜っている必要があるからだ。単純なサイバー攻撃はそうではない」

ウクライナの戦争でも、開戦前にロシアはくり返しウクライナの国防省などに対してサイバー攻撃を行っている。逆にウクライナ側も、サイバー軍を使ってロシアを攻撃している(米NSAが水面下で協力しているとの説もある)。サイバー攻撃は、軍事において不可欠なものになりつつあるのだ。

また筆者が台湾政府のサイバーセキュリティ部門幹部に話を聞いたときには、「台湾の鉄道のシステムにはすでに中国のマルウェアが埋め込まれている可能性が高い。有事の際には不正に操作されるかもしれないと懸念している」と話していた。運行中の高速鉄道がサイバー攻撃で突然、不具合を起こし、事故となったらその被害は甚大だ。

こうしたサイバー分野の発展こそが、日本にとって自立の近道ではないかと筆者は考えている。

実はアメリカ軍も近年サイバー軍の急速な拡大を行っており、同盟国にもこの分野での増強を望んでいる面があるいまならば、共同歩調でサイバー軍を増強するチャンスともいえる。

バイデンは二〇二一年五月の大統領令でサイバー攻撃対策に関して、政府調達にさらなる厳しい要件をつけ、連邦政府機関にサイバーディフェンスの近代化と強化を指示した。さらに七月にはメモランダム（覚書）を発表し、インフラのサイバー攻撃対策の強化を確認した。一〇月にはサイバー対策会議（約三〇の国と地域が参加）を再開して、ランサムウェア攻撃を世界中で実施しているロシア系サイバー犯罪組織に各国と共同で対応する方向を示した。

世界各国が力を入れている今だからこそ、日本は追いつく余地があり、日本がサイバー分野で強くなれば、同盟国として今まで以上に重要視されることになるだろう。ファイブアイズに入らなくとも、サイバー問題を中心とした新しい自由主義陣営の枠組みを提唱することも可能だ。

日本のサイバー能力

では、ベースとなる現在の日本のサイバー能力はどれほどのものなのか。中国に対抗でき、アメリカとともに戦えるほどのものなのだろうか。

日本でサイバー政策面を担当しているのは、内閣サイバーセキュリティセンターである。中央省庁へサイバー攻撃に関する情報を提供したり、関連法を議論したりしている。

それ以外には、二〇二二年四月には警察庁がサイバー犯罪対策を担う「サイバー警察局」を立ち上げた。指揮下には、関東管区警察局に警察の権限（逮捕権など）をもったサイバー捜査部隊「サイバー特別捜査隊」を設置する、とした。これまでサイバーテロやサイバー犯罪など捜査担当を分けてきた警察当局だが、サイバー警察局はサイバー攻撃を基本的にひとまとめにして担うことになり、効率的なサイバー捜査を行うことになる。しかも都道府県の法執行機関と違い、国家の警察組織である警察庁がこれまで捜査権を持つことはなかったため、この動きは画期的と評価することができる。

また自衛隊は、二〇二二年三月、これまでの防衛部隊を再編成し、サイバー防衛隊という組織が発足させた。だがこのサイバー防衛隊の問題は、自衛隊と防衛省という自分の組織をサイバー攻撃から守るためだけに存在していることだ。つまり、日本の政府機関やインフラなど日本全体が攻撃を受けても対処はしてくれない。当然、サイバー攻撃を実施する能力はない。

残念ながら、以上が現有の日本の「サイバー防衛能力」ということになる。アメリカや中国と比べると雲泥の差だ。

日本版ＮＳＡ

日本でも、世界に広がる中国のサイバースパイ工作への対応や、実動的なサイバー組織が必要となってくることは間違いないが、今からＣＩＡのような対外諜報機関を作るのは容易ではない。まずヒューミント（人による諜報活動）ができる人材を集めたり、訓練するのに莫大な時間と予算が必要になる。また外務省や警察庁、防衛省、さらに法務省の外局である公安調査庁などが長く縄張り争いをしており、諜報専門の独立した組織を作るのは現実的ではないだろう。

そこで参考になるのは、本家アメリカのＮＳＡだ。前述したようにＮＳＡは、通信傍受などシギントを専門に扱う組織である。アメリカでもっとも優秀なハッカーたちが集まり、日常的に他国へのサイバー攻撃を行い、サイバー攻撃ツールなども作る。ＮＳＡには博士号を持った数学者たちも多数参加している。

いまや個人が使うスマホやアプリなどはＮＳＡなどの手にかかれば、すべて覗かれてしまうと考えていい。世界がますますネットワーク化され、デジタル化が進み、ＩｏＴなどで電子機器が全てつながる世界になるなか、ＮＳＡの能力の重要度は増している。

　アメリカ以外の国にも、ＮＳＡと同じような組織が存在している。イギリスであればＧＣＨＱ（政府通信本部）があり、サイバー大国の一つとして知られるイスラエルには軍に「８２００部隊」と呼ばれる専門部隊がある。これに日本も学ぶべきだ。日本の場合は、さらに自衛隊などがアメリカからも高く評価されている衛星による画像解析チームなども組み込んで、国のためのインテリジェンス組織にしていくこともできる。

　つまり、インテリジェンスにおいても、軍事においても、サイバー空間が発展する中で求められるのは、ＮＳＡのような組織なのだ。そんな組織が、省庁の垣根を越えて実動できるようになれば、日本の防衛を根底から支えてくれることになる。

ハッカーは年収が全てではない

　そのとき憲法九条の改正議論も、新しい視点が必要になってくるだろう。

　現在、防衛省は、重要インフラがサイバー攻撃を受けるなどして「損害が国民の生命、自由、幸福追求の権利を覆《くつがえ》すようなレベルに達していると判断されれば（自衛権を）発動できる」としているが、ただその「レベル」の判断は難しいし、サイバー攻撃は従来の爆撃などのようなわかりやすいものではない。事実上何もいっていないに等しいと筆者は考える。

より有効なサイバー防衛のためには、一層踏み込んだ法整備が必要だろう。一例を挙げれば、日本では「不正アクセス禁止法」などの制約があり、サイバー攻撃を受けた際にも、攻撃者を特定するために他国のコンピューターやサーバーなどにアクセスすることはできない。また日本では「不正指令電磁的記録作成罪」に当たるとしてウイルスなどを含むプログラムの作成や保管が禁じられている。個人情報保護の原則を堅持しつつ、安全保障上の不備を補っていく検討が必要だろう。

人材確保ももちろん重要だ。防衛省のサイバー防衛隊は五四〇名で発足したが、他国のサイバー軍と比較して、ケタ違いに少ない。

日本では公のサイバー部門に優秀な人材が集まらない理由として、しばしば「民間企業との給料の差」が持ち出される。防衛省の政務官が、年収二〇〇〇万円ほどでサイバー関連の有能な人材を確保すると発言して話題になったことがあるが、問題の本質はそこではないだろう。

実は、サイバーセキュリティを担う優秀な人材を確保するのに、年収が全てではないことは強く申し上げておきたい。世界のサイバー部隊などを取材していると、トップレベルのハッカーたちが働く政府組織でも、給料はそこまで高くない。ただそうした部隊で扱うのは民間ではアクセスの難しい、国家レベルの情報であることも多く、そこで活躍したことが、その後のキャリアに有利に働く面もある。また、国のサイバー戦略の最前線に立つことに魅力を感じていたりする人たちは少なくない。いわゆる「やりがい」というものだ。

そういうところから見直していけば、日本に埋もれている優秀な人材は見つかるのではないか。ロシアのマフィアたちの資金源となるオンラインゲーム制作に人材を奪われている場合ではない。

日本版NSAの設立は、サイバーセキュリティを専門とする人たちからも切望されている。日本政府として、自立に向けて前に進んでもらいたいものだ。それが自分たちの身を自分たちで守る第一歩となるのである。さらには、日本のサイバー技術をよりいっそう高めるチャンスでもあるのだ。

おわりに

二月二四日に始まったロシアによるウクライナ侵攻は、女性や子供などを含む多数の死者、負傷者を出す痛ましい事態に発展した。今回のウクライナ戦争は、世界情勢を俯瞰《ふかん》して見ると、米中覇権争いにおいても重要な転機となったと言える。

ＣＩＡのウィリアム・バーンズ長官がこれまでも指摘していたが、中国とロシアの関係はここ最近、急速に緊密になっていた。習近平とプーチンは、二〇二二年の北京冬季五輪の開会当日に北京の釣魚台国賓館で会談し、英語版で五三〇〇語を超える長文のコミュニケ（共同声明）を発表した。そこでは、「利害を共有する両国の協力関係に制限はない」と宣言している。当然、アメリカとその同盟国に向けたメッセージである。

中露が手を組み欧米の民主主義陣営に対抗するような大きな勢力となることが、改めて示されたのだ。天然ガスなどのエネルギー資源を持つロシアと巨大な市場であり最先端技術を安価で提供する中国のタッグは、西側世界にくさびを打ち込む力を持っている。

ところがロシアのウクライナ侵攻によって西側世界は「反ロシア」一色になり、中国も「ロシアの同盟国」として扱われるようになってしまった。

その意味で、ウクライナ侵攻は、アメリカにとって好都合だったはずだ。中国がこれまでのようにロシアと近い関係性を有効にアピールできなくなったからだ。「両国の協力関係」も非常に限定的なものになりつつある。

二〇二二年三月一八日午前、機密システムを介したビデオ電話で、ウクライナ侵攻後初めて、ジョー・バイデン大統領は習近平国家主席と向き合った。

二時間にわたって行われた首脳会談の主題は、ロシアをどう扱うのか、であった。この会談でのやりとりは、おそらく今後、アメリカと中国そしてロシアとの関係を大きく変える象徴的で重要なものだった。

米政府関係者は筆者の取材に「この会談でバイデンは習に対して、ロシアを支援した場合の代償として民間も含めた厳しい制裁措置を取る可能性を伝えた」と話す。

実は、バイデンと習の会談の五日ほど前に、「ニューヨーク・タイムズ」紙などは、「ロシアが中国に援助を求めている」と報じた。これは、アメリカ政府によるリークで、中国への牽制と見ていい。

習近平はこの秋の第二〇回党大会で前例のない任期三期目に突入して、権力を維持しようとしている。そのためにも、現時点でアメリカから、経済的な制裁措置が科されるのは絶対に避けたい。

米中の貿易関係は二〇二一年に七五〇〇億ドルを超え、中国とEUの貿易は八〇〇〇億ドル以上になっている。一方で、ロシアとの貿易は一五〇〇億ドル程度にすぎない。中国がウクライナ侵攻でロシアの肩を持ち続ける可能性は低いだろう。

バイデンはムチだけでなく、中国にアメを与えることも忘れなかった。台湾問題を議題に上げ、アメリカの台湾への武器提供などを明記した「台湾関係法」や、米中関係をまとめた「三つの共同コミュニケ」、そして武器の供与などについて盛り込まれた「台湾への六つの保証」に基づきながらも、アメリカは改めて「一つの中国」政策を堅持することを伝えている。

もっとも「プーチンの戦争」を黙認した習近平はすでに分が悪い。二月二四日の侵攻開始の翌日に習近平はプーチンと電話会談しているが、そこでプーチンに武力攻撃を止めさせようとしなかったのは、すでに多くのメディアが報じ世界中が知っている。

習近平はバイデンとの会談で、「二段階でロシアに対応すべきだ」「まずは停戦を決め、その上での人道支援である」と述べたというが、なんら具体的ではなく何も言っていないに等しい。それほどに習近平は追い込まれているのだろう。ロシアのウクライナ侵攻によって覇権を狙う中国の行動にブレーキがかかったのだ。

その一方で中国は、アメリカを中心とした「西側同盟」に追い詰められていくロシアの姿を、固唾《かたず》を飲んで見ていたことだろう。そして、本書で見てきたような、「通信」「金融」などの分野で自分たちが取り組んできた覇権国家を狙うための「準備」が決して間違っていなかったと再確認したはずだ。

二〇二二年には一一月のアメリカの中間選挙と秋の中国の党大会という続く重要なイベントがあり、両国は慎重ながら激しい攻防を続けることになる。また、ウクライナでつまずき、国内経済を行き詰まらせ、その上国際社会から完全に信用を失ったプーチンのこれからも気になるところだ。

米中露の動向からはまだまだ目が離せない。

*

本書の執筆にあたっては、国内外で日々、筆者の取材に協力してくれている皆さんに心から感謝したい。取材先は中国やアメリカの関係者に限らず、それ以外の地域にいるさまざまな関係者からも、米中覇権争いを別の角度・視点から見る貴重な手助けをしてもらいました。その中には残念ながら殺害されてしまったり、今も投獄されている友人もいます。彼らには頭が上がりません。

企画の段階から米中露関係におけるさまざまなトピックについて、筆者と議論を交わしてくださった文春新書の前島篤志編集長と担当編集者の水上奥人氏にも心から感謝いたします。両氏の鋭い視点が、本書を書き進める上で大きな刺激となりました。

本書が世界で進行している覇権争いの実態を多くの人に知ってもらうきっかけになればと願っています。

二〇二二年四月

山田敏弘

山田敏弘（やまだ としひろ）

1974年生まれ。国際ジャーナリスト。米ネヴァダ大学ジャーナリズム学部卒業。講談社、英ロイター通信社、『ニューズウィーク』などの記者を経て、米マサチューセッツ工科大学で国際情勢とサイバーセキュリティの研究・取材活動にあたる。帰国後、フリーに。著書に『ゼロデイ 米中露サイバー戦争が世界を破壊する』（文藝春秋）、『死体格差 異状死17万人の衝撃』（新潮社）、『サイバー戦争の今』（ベスト新書）他。

文春新書

1359

プーチンと習近平《しゅうきんぺい》　独裁者《どくさいしゃ》のサイバー戦争《せんそう》

2022年4月20日　第1刷発行

著　者　山田敏弘
発行者　大松芳男
発行所　株式会社 文藝春秋

〒102-8008　東京都千代田区紀尾井町 3-23
電話（03）3265-1211（代表）

印刷所　理想社
付物印刷　大日本印刷
製本所　大口製本

定価はカバーに表示してあります。
万一、落丁・乱丁の場合は小社製作部宛お送り下さい。
送料小社負担でお取替え致します。

ISBN978-4-16-661359-5

◆日本の歴史

渋沢家三代　佐野眞一
古墳とヤマト政権　白石太一郎
昭和史の論点　坂本多加雄・秦郁彦・半藤一利・保阪正康
謎の大王 継体天皇　水谷千秋
謎の豪族 蘇我氏　水谷千秋
謎の渡来人 秦氏　水谷千秋
継体天皇と朝鮮半島の謎　水谷千秋
女たちの壬申の乱　水谷千秋
あの戦争になぜ負けたのか　半藤一利・保阪正康・中西輝政・戸高一成・福田和也・加藤陽子
日本のいちばん長い夏　半藤一利編
昭和陸海軍の失敗　半藤一利・秦郁彦・平間洋一・保阪正康・黒野耐・戸高一成・戸部良一・福田和也
昭和の名将と愚将　半藤一利・保阪正康
日本型リーダーはなぜ失敗するのか　半藤一利
「昭和天皇実録」の謎を解く　半藤一利・保阪正康・御厨貴・磯田道史
大人のための昭和史入門　半藤一利・船橋洋一・出口治明・水野和夫・佐藤優・保阪正康他
21世紀の戦争論　半藤一利・佐藤優

なぜ必敗の戦争を始めたのか　半藤一利
歴史探偵 忘れ残りの記　半藤一利
歴史探偵 昭和の教え　半藤一利
歴史探偵 開戦から終戦まで　半藤一利
十七歳の硫黄島　秋草鶴次
山県有朋　伊藤之雄
指揮官の決断　早坂隆
永田鉄山 昭和陸軍「運命の男」　早坂隆
ペリリュー玉砕　早坂隆
硫黄島 栗林中将の最期　梯久美子
日本人の誇り　藤原正彦
天皇陵の謎　矢澤高太郎
児玉誉士夫 巨魁の昭和史　有馬哲夫
江戸の貧民　塩見鮮一郎
火山で読み解く古事記の謎　蒲池明弘
邪馬台国は「朱の王国」だった　蒲池明弘
「馬」が動かした日本史　蒲池明弘
文部省の研究　辻田真佐憲

古関裕而の昭和史　辻田真佐憲
写真で見る日めくり日米開戦・終戦　共同通信編集委員室編
暴かれた伊達政宗「幕府転覆計画」　大泉光一
大日本史　山内昌之・佐藤優
日本史のツボ　本郷和人
承久の乱　本郷和人
権力の日本史　本郷和人
北条氏の時代　本郷和人
元号　所功・久禮旦雄・吉野健一
歴史の余白　浅見雅男
明治天皇はシャンパンがお好き　浅見雅男
皇位継承　高橋紘・所功
江戸のいちばん長い日　安藤優一郎
江戸の不動産　安藤優一郎
西郷隆盛と西南戦争を歩く　正亀賢司
姫君たちの明治維新　岩尾光代
日本史の新常識　文藝春秋編
秋篠宮家と小室家　文藝春秋編

日本プラモデル六〇年史　小林　昇
仏教抹殺　鵜飼秀徳
お寺の日本地図　鵜飼秀徳
昭和天皇 最後の侍従日記　小林 忍＋共同通信取材班
令和を生きるための昭和史入門　保阪正康
内閣調査室秘録　志垣民郎 岸 俊光編
木戸幸一　川田　稔
「京都」の誕生　桃崎有一郎
皇国史観　片山杜秀
昭和史がわかるブックガイド　文春新書編
遊王　徳川家斉　岡崎守恭
東條英機　一ノ瀬俊也
信長　空白の百三十日　木下昌輝
感染症の日本史　磯田道史
平安朝の事件簿　繁田信一
婆娑羅大名　佐々木道誉　寺田英視
経理から見た日本陸軍　本間正人
戦前昭和の猟奇事件　小池　新

インパールの戦い　笠井亮平
東京の謎《ミステリー》　門井慶喜
歴史・時代小説教室　安部龍太郎 門井慶喜 畠中 恵
お茶と権力　田中仙堂
明治日本はアメリカから何を学んだのか　小川原正道

(2022. 04) A
品切の節はご容赦下さい

◆文学・ことば

翻訳夜話　村上春樹　柴田元幸
翻訳夜話2 サリンジャー戦記　村上春樹　柴田元幸
漢字と日本人　高島俊男
語源でわかった！英単語記憶術　山並陞一
すごい言葉　晴山陽一
危うし！小学校英語　鳥飼玖美子
外交官の「うな重方式」英語勉強法　多賀敏行
名文どろぼう　竹内政明
「編集手帳」の文章術　竹内政明
ビブリオバトル　谷口忠大
新・百人一首　岡井隆・馬場あき子 永田和宏・穂村弘選
劇団四季メソッド「美しい日本語の話し方」　浅利慶太
芥川賞の謎を解く　鵜飼哲夫
ビジネスエリートの新論語　司馬遼太郎
オッペケペー節と明治　永嶺重敏
世界はジョークで出来ている　早坂隆

一切なりゆき　樹木希林
天才の思考　鈴木敏夫
いま、幸せかい？　滝口悠生選
英語で味わう万葉集　ピーター・J・マクミラン
歎異抄 救いのことば　釈徹宗
最後の人声天語　坪内祐三
教養脳　福田和也
明日あるまじく候　細川護煕
伊賀の人・松尾芭蕉　北村純一
ちょっと方向を変えてみる　辻仁成
歴史・時代小説教室　安部龍太郎 門井慶喜 畠中恵

◆経済と企業

金融工学、こんなに面白い　野口悠紀雄
リープフロッグ　野口悠紀雄
臆病者のための株入門　橘　玲
臆病者のための億万長者入門　橘　玲
熱湯経営　樋口武男
先の先を読め　樋口武男
就活って何だ　森　健
ビジネスパーソンのための契約の教科書　福井健策
ブラック企業　今野晴貴
ブラック企業2　今野晴貴
売る力　鈴木敏文
日本型モノづくりの敗北　湯之上隆
詐欺の帝王　溝口　敦
さらば！　サラリーマン　溝口　敦
トヨタ生産方式の逆襲　鈴村尚久
グローバリズムが世界を滅ぼす　エマニュエル・トッド　ハジュン・チャン　柴山桂太・中野剛志・藤井聡・堀茂樹

税金を払わない巨大企業　富岡幸雄
消費税が国を滅ぼす　富岡幸雄
あなたの隣のモンスター社員　石川弘子
安売り王一代　安田隆夫
働く女子の運命　濱口桂一郎
人工知能と経済の未来　井上智洋
「公益」資本主義　原　丈人
お祈りメール来た、日本死ね　海老原嗣生
ルポ　税金地獄　朝日新聞経済部
日本株式会社の顧問弁護士　児玉　博
自動車会社が消える日　井上久男
日産 vs.ゴーン　井上久男
新貿易立国論　大泉啓一郎
世界史を変えた詐欺師たち　東谷　暁
日銀バブルが日本を蝕む　藤田知也
AIが変えるお金の未来　坂井隆之・宮川裕章＋毎日新聞フィンテック取材班
なぜ日本の会社は生産性が低いのか？　熊野英生
会社員が消える　大内伸哉

キャッシュレス国家　西村友作
農業新時代　川内イオ
農業フロンティア　川内イオ
総会屋とバブル　尾島正洋
最強の相続　荻原博子
吉本興業の約束　大﨑　洋　坪田信貴
日本企業の復活力　伊丹敬之
グリーン・ジャイアント　森川　潤

文春新書

◆世界の国と歴史

ローマ人への20の質問　塩野七生
歴史とはなにか　岡田英弘
常識の世界地図　21世紀研究会編
食の世界地図　21世紀研究会編
新・民族の世界地図　21世紀研究会編
カラー新版 地名の世界地図　21世紀研究会編
カラー新版 人名の世界地図　21世紀研究会編
フランス7つの謎　小田中直樹
一杯の紅茶の世界史　磯淵　猛
新約聖書Ⅰ　新共同訳 佐藤　優解説
新約聖書Ⅱ　新共同訳 佐藤　優解説
佐藤優の集中講義 民族問題　佐藤　優
池上彰の宗教がわかれば世界が見える　池上　彰
新・戦争論　池上　彰 佐藤　優
大世界史　池上　彰 佐藤　優
新・リーダー論　池上　彰 佐藤　優

独裁者プーチン　名越健郎
韓国併合への道 完全版　呉　善花
侮日論　呉　善花
韓国「反日民族主義」の奈落　呉　善花
イスラーム国の衝撃　池内　恵
「ドイツ帝国」が世界を破滅させる　エマニュエル・トッド 堀　茂樹訳
シャルリとは誰か？　エマニュエル・トッド 堀　茂樹訳
問題は英国ではない、EUなのだ　エマニュエル・トッド 堀　茂樹訳
中国4・0　エドワード・ルトワック 奥山真司訳
戦争にチャンスを与えよ　エドワード・ルトワック 奥山真司訳
日本4・0　エドワード・ルトワック 奥山真司訳
ラストエンペラー習近平　エドワード・ルトワック 奥山真司訳
21世紀 地政学入門　船橋洋一
地経学とは何か　船橋洋一
熱狂する「神の国」アメリカ　松本佐保
大学入試問題で読み解く「超」世界史・日本史　片山杜秀
ベートーヴェンを聴けば世界史がわかる　片山杜秀
戦争を始めるのは誰か　渡辺惣樹

第二次世界大戦 アメリカの敗北　渡辺惣樹
ルポ 絶望の韓国　牧野愛博
韓国を支配する「空気」の研究　牧野愛博
金正恩と金与正　牧野愛博
米中激突　陳　破空 山田智美訳
知立国家 イスラエル　米山伸郎
1918年最強ドイツ軍はなぜ敗れたのか　飯倉　章
「中国」という神話　楊　海英
独裁の中国現代史　楊　海英
ジェノサイド国家中国の真実　于田ケリム 楊　海英
人に話したくなる世界史　玉木俊明
16世紀「世界史」のはじまり　玉木俊明
トランプ ロシアゲートの虚実　小川　聡 東　秀敏
世界史の新常識　文藝春秋編
ヘンリー王子とメーガン妃　亀甲博行
コロナ後の世界　ジャレド・ダイアモンド ポール・クルーグマン リンダ・グラットン マックス・テグマーク スティーブン・ピンカー スコット・ギャロウェイ 大野和基編
コロナ後の未来　ポール・ナース ユヴァル・ノア・ハラリ カタリン・カリコ リンダ・グラットン リチャード・フロリダ スコット・ギャロウェイ イアン・ブレマー 大野和基編
パンデミックの文明論　ヤマザキマリ 中野信子

盗まれたエジプト文明　篠田航一

歴史を活かす力　出口治明

世界一ポップな国際ニュースの授業　藤原帰一・石田衣良

三国志入門　宮城谷昌光

悲劇の世界遺産　井出　明

シルクロードとローマ帝国の興亡　井上文則

いまさら聞けないキリスト教のおバカ質問　橋爪大三郎

プーチンと習近平 独裁者のサイバー戦争　山田敏弘

◆政治の世界

民主主義とは何なのか　長谷川三千子

司馬遼太郎 リーダーの条件　半藤一利・磯田道史・鴨下信一他

自滅するアメリカ帝国　伊藤　貫

新しい国へ　安倍晋三

日本に絶望している人のための政治入門　三浦瑠麗

あなたに伝えたい政治の話　三浦瑠麗

政治を選ぶ力　橋下　徹・三浦瑠麗

日本の分断　三浦瑠麗

国のために死ねるか　伊藤祐靖

田中角栄 最後のインタビュー　佐藤　修

日米同盟のリアリズム　小川和久

軍人が政治家になってはいけない本当の理由　廣中雅之

小泉進次郎と福田達夫　田﨑史郎

日本よ、完全自立を　石原慎太郎

内閣調査室秘録　志垣民郎　岸　俊光編

軍事と政治 日本の選択　細谷雄一編

兵器を買わされる日本　東京新聞社会部

地方議員は必要か　NHKスペシャル取材班

知事の真贋　片山善博

政治家の覚悟　菅　義偉

小林秀雄の政治学　中野剛志

枝野ビジョン 支え合う日本　枝野幸男

検証 安倍政権　アジア・パシフィック・イニシアティブ